HAPPINESS RUNS

POLLY APFELBAUM

VERLAG FÜR MODERNE KUNST

FOREWORD

Stella Rollig

My arrival at the Belvedere in 2017 was also an occasion to think intensely about Belvedere 21 (as we started calling it a year later) and the incomparable building that Karl Schwanzer built in 1958. Designed as a pavilion for the World's Fair in Brussels, this building has been used as a museum in Vienna since 1962. Following major renovations by Adolf Krischanitz in 2011, it reopened as part of the Belvedere. Since this renovation, the upper floor has been divided by a series of fittings into zones that protect the works, among other things, from light.

I grew up with what we called the "Zwanzgerhaus" ["twenty house"; formerly, the Museum of the 20th Century]. I still hold vivid childhood memories of their programs—because museum education for all ages is not unique to our time, after all—where we drove nails into wooden blocks like little Günther Ueckers, pounding away with flushed cheeks, or where as a student I came to realizations about the international avant-garde that took my breath away. In my mind, all of these images are set in bright rooms flooded with light.

So it was not only my respect for the architect's intentions but, to an equal extent, my personal connections to this place that crystallized immediately into a wish to open up the space on the upper floor and a plan to carry it through in September 2018.

Vorwort

Stella Rollig

Mit der Berufung an das Belvedere im Jahr 2017 begann ich auch, intensiv über das Belvedere 21 nachzudenken (das wir seit 2018 so nennen), den unvergleichlichen Karl-Schwanzer-Bau aus dem Jahr 1958. Seit 1962 dient der für die Weltausstellung in Brüssel entworfene Pavillon in Wien als Museum, das nach einer umfassenden Renovierung durch Adolf Krischanitz 2011 als Standort des Belvedere wiedereröffnet wurde. Seit dieser Renovierung war das Obergeschoss mit einer Reihe von Einbauten gegliedert und in (licht-)geschützte Zonen unterteilt.

Mit dem seinerzeitigen „Zwanzgerhaus" bin ich aufgewachsen. Erinnerungen an Kinderprogramme – denn die Museumspädagogik für alle Altersstufen ist keine Erfindung unserer Gegenwart –, in denen wir mit heißen Wangen und harten Hammerschlägen als kleine Günther Ueckers Nägel in Holzpflöcke trieben, und atemlose Erkenntnisse als Studentin angesichts internationaler Avantgarden sind vibrierend lebendig. Alle diese Bilder im Kopf sind in hellen, lichtdurchfluteten Räumen angesiedelt.

So kam es gleichermaßen aus persönlicher Verbundenheit wie aus Respekt vor der Intention des Architekten, dass sich die Freilegung des oberen Stockwerks als unmittelbares Desideratum herauskristallisierte und für September 2018 geplant wurde.

Welche Künstlerin sollte den nun wieder offenen Raum einweihen, in seiner gesamten Dimension akzentuieren, fassen, feiern? Polly Apfelbaum war die erste Wahl, und wir sind sehr glücklich, dass sie die Einladung ohne Zögern angenommen hat.

Polly Apfelbaum ist in Pennsylvania geboren, sie lebt in New York und hat seit ihrer ersten Einzelausstellung 1986 ihre unverwechselbare Position kontinuierlich entwickelt. Ihr Werk, präsent in Museen und wichtigen Sammlungen, vielfach ausgezeichnet, war in Österreich wenig zu sehen und wäre hier wohl kaum bekannt – gäbe es nicht die langjährige Beziehung zur Galerie nächst St. Stephan und zu Rosemarie Schwarzwälder, die Polly Apfelbaum seit Jahren regelmäßig zeigt und der auch ich die Begegnung verdanke. Selbst im beschränkten Format der Galerieausstellung werden die Qualitäten von Apfelbaums Arbeit eindrücklich sichtbar: die raumbezogene Kon-

Which artist would be the right person to inaugurate this newly reopened space, to accentuate, appreciate, and celebrate it in all its dimensions? Polly Apfelbaum was our first choice and we are very pleased that she accepted our invitation without hesitating.

Polly Apfelbaum was born in Pennsylvania. She lives in New York and has continually developed her unique position in the art scene ever since her first solo exhibition in 1986. Her work, present in museums and important collections, has won many awards yet has not often been seen in Austria. Indeed, it would hardly be known here if it weren't for her longstanding relationship with Galerie nächst St. Stephan and Rosemarie Schwarzwälder, who has shown Polly Apfelbaum regularly for years and to whom I am grateful for our introduction. Even in the limited format of a gallery exhibition, the qualities of Apfelbaum's work make a strong impression: her spatial conception—which may owe something to her marriage to architect Stan Allen—display a freedom of thought that playfully transcends genres (painting, object, installation, fine art, and "applied" techniques), a joyous use of materials and colors, a consciousness of art history, and references to cultural artefacts and ancestral lines. She focused at first on modernist abstraction and related areas of fine art such as arts and crafts or graphic design, then expanded to encompass even more.

What is overwhelmingly evident in every exhibition and in every personal encounter with Polly Apfelbaum is her generosity, her openness to the world, and her curiosity: an artist with an open heart, an art with open arms. Apfelbaum is always in motion, and the same is true of her work. She tries new things, she doubts, she keeps going and challenges herself. Idleness is, if not exactly hated by her, deeply foreign to her. She has mastered all dimensions seemingly with ease. Although her conceptual achievements cannot be overlooked, she has given her work an expansiveness that consumes space, has drawn the walls into it, then the floors and ceilings, and today moves naturally in all three dimensions of a space, gliding back to a piece of paper in the meantime. Her work can inspire, not only the public, but also art critics and authors to enchanting thoughts and descriptions, to make them gush. But my favorite quote might be this simple sentence by Phillip Barcio: "Her work goes everywhere."[1] Which means Polly Apfelbaum takes reality and transforms it with her work. Everything stays as it is, and nothing will remain what it was.

At the Belvedere 21, Polly Apfelbaum is showing six installations consisting of handwoven rugs commissioned in Mexico and a ceramic element. This selection represents a brave decision by the artist, because all works were originally created for specific locations and different contexts, and will now be sharing a space that also has a strong character. But everything is coming together harmoniously, as if by magic. A welcoming space is being created. Take your shoes off and come in. You'll feel that you've arrived, that you are safe and free. You have the pleasure of

1 Phillip Barcio, "The Magic of Polly Apfelbaum's Installations in Vienna," http://www.ideelart.com/module/csblog/post/535-1-polly-apfelbaum.html (Accessed July 9, 2018).

zeption – vielleicht auch ein Ergebnis ihrer Ehe mit dem Architekten Stan Allen –, ein freies Denken, das die Grenzen von Gattungen (Malerei, Objekt, Installation, bildender Kunst und sogenannten angewandten Techniken) spielerisch überspringt, Freude an Materialien und Farben, Bewusstsein der Kunstgeschichte und Referenzen auf kulturelle Artefakte und Ahnenlinien, zunächst vorwiegend auf die modernistische Abstraktion und auf angrenzende Gebiete der bildenden Kunst wie Kunsthandwerk und Grafikdesign, dann weiter und weiter ausholend.

Überwältigend spürbar in jeder Ausstellung (wie in jeder persönlichen Begegnung) sind Polly Apfelbaums Generosität, ihre Weltzugewandtheit und ihre Neugierde. Eine Künstlerin mit offenem Herzen, eine Kunst mit offenen Armen. Apfelbaum ist ständig in Bewegung, das Gleiche gilt für ihr Werk. Sie probiert Neues, sie zweifelt, sie macht weiter und fordert sich selbst heraus. Stillstand ist ihr – nicht verhasst, aber zutiefst fremd. Sie beherrscht alle Dimensionen. Scheinbar leichthändig – obwohl man die konzeptuelle Leistung nicht übersehen darf – hat sie ihrem Werk raumgreifende Ausdehnung gegeben, hat nach den Wänden Böden und Decken einbezogen, bewegt sich heute wie selbstverständlich in den drei Dimensionen des Raums und kehrt dazwischen im Gleitflug auf ein Blatt Papier zurück. Eine besondere Wirkung ihrer Kunst besteht darin, nicht nur das Publikum, sondern auch Kunstkritikerinnen und Autoren zu bezaubernden Gedanken und Formulierungen zu inspirieren, sie ins Schwärmen zu versetzen. Doch vielleicht ist mein Lieblingszitat dieser schlichte Satz von Phillip Barcio: „Her work goes everywhere.“[1] Was bedeutet, dass Polly Apfelbaum die gegebene Realität annimmt und mit ihrem Werk transformiert. Alles bleibt, was es ist, und nichts wird sein, was es war.

Im Belvedere 21 zeigt Polly Apfelbaum sechs Installationen, die aus in Mexiko in Auftrag gegebenen handgewebten Teppichen und einem Element aus Keramik bestehen. Für die Künstlerin ist diese Auswahl eine mutige Entscheidung, denn alle Werke sind ursprünglich ortsspezifisch für unterschiedliche Kontexte entstanden und teilen sich nun einen gemeinsamen Ort, der seinerseits einen starken Charakter hat. Doch wie von Zauberhand fügt sich alles harmonisch zusammen. Es entsteht ein Raum des Willkommens. Man legt die Schuhe ab und tritt ein. Man spürt Angekommensein, Geborgenheit, Freiheit und die Lust am Sehen und Denken, am Schweigen oder am Sprechen. Barcios Statement: *„Her work goes everywhere“*, ist zu ergänzen: *„and takes you everywhere.“* Was kann in einem Museum Besseres geschehen.

Mein größter Dank geht an Polly Apfelbaum für ihre Begeisterung, ihren Mut und die freudvolle Zusammenarbeit. Johanna Hofer war weit mehr als meine Assistenzkuratorin. Ich danke ihr dafür, dass sie alle Fäden zusammengehalten hat, sowie für ihre Texte für diese Publikation. Mein Dank gilt ebenso den Autorinnen Patricia Grzonka und Kate McNamara, dem Autor Bob Nickas sowie Sandro Zanzinger für seine wie immer exzellente Fotografie. Ivonne Stark danke ich für die schöne Gestaltung des Buchs, Eva Lahnsteiner für das Publikationsmanagement. Mario Kojetinsky gebührt

1 Phillip Barcio, „The Magic of Polly Apfelbaum's Installations in Vienna“, http://www.ideelart.com/module/csblog/post/535-1-polly-apfelbaum.html (zuletzt besucht am 9.7.2018).

seeing and thinking, speaking or keeping silence. Barcio's statement: *"Her work goes everywhere,"* can be expanded with: *"and takes you everywhere."* Can anything better happen in a museum?

My most sincere thanks are due to Polly Apfelbaum for her enthusiasm, her courage, and our joyful collaboration. Johanna Hofer was much more than my assistant curator. I would like to thank her for bringing all the threads together, and for her texts in this publication. Thanks also to the authors Patricia Grzonka, Kate McNamara, and Bob Nickas, as well as to Sandro Zanzinger for his always excellent photography. Thanks are due to Ivonne Stark for the beautiful book design and Eva Lahnsteiner for the publication management. Mario Kojetinsky deserves much gratitude for his management of the structural changes at Belvedere 21 and the exhibition. I would like to thank Gabrielle Berlin for organizing the Belvedere 21 Edition, Naima Wieltschnig for supporting the project from the art-education side, and Irene Jäger for her dedicated work with the press and public. In conclusion, my thanks also go to the lenders, Galerie nächst St. Stephan, Vienna, Alexander Gray Associates, New York, and Frith Street Gallery, London.

Abb. 1 — Ausstellungsansicht *Table Drawing*, 1996, St. Mark's Positions, New York
Fig. 1 — Installation view of *Table Drawing*, 1996, at St. Mark's Positions, New York

Abb. 2 — Weben des Teppichs *Rainbow Nirvana Houndstooth* für die Ausstellung *Miss Dior* im Grand Palais, Paris, 2013
Fig. 2 — Detail of the rug *Rainbow Nirvana Houndstooth* being woven in the loom, for the exhibition *Miss Dior* at the Grand Palais, Paris, 2013

2016, I asked you about the use of the word "rug" to describe this specific body of work. I recall thinking about rug versus carpet versus fallen painting versus installation and your interest in using the most utilitarian description. Can you speak more about your relationship to the word rug?

PA

I don't have a problem with the word rug—I prefer it to "carpet." I agree, and I like the fact that it's a less grand term and fits with the sense that my work is located in the place between art and life. (I've always liked the Rauschenberg quote: "Painting relates to both art and life. Neither can be made. I try to act in that gap between the two.")[1] There is also, though, an idea about taking something that has a domestic scale and function, and jumping scale—so that it becomes immersive. That's really what "installation" implies for me—not a work you look at but a work you inhabit. As a viewer you too become part of the installation. The word "installation" works well for describing the rugs with all of the other parts that go with them: ceramics, wallpaper, beads, etc. All the recent shows have been large scale and situational, so when I say, "this is not a rug," it's more in an irreverent sense, thinking of Magritte. Irreverence is how I got to the floor in the first place.

What is exciting to me—and different—about the *Happiness Runs* exhibition is that it's just rugs, with the exception of the bead elements in *Face (Geometry) (Naked) Eyes*. With this show I am returning to working with the floor only, but with so many works, all together, and such a large, expansive space, I think the effect is going to be something different. The space will be completely open so the viewer can move through the whole timeline of work uninterrupted. Movement and time become important here in ways that were not possible in the individual installations. I'm also intrigued about the history of this space, a late modernist building originally designed as the Austrian pavilion for Expo '58 in Brussels, dismantled and relocated to Vienna; so it, too, is about dislocation, relocation and assembling fragments from the past.

KM

Can you speak more about these ideas of movement, time, and site specificity? I have been thinking a lot about your 2009 show, *Anything Can Happen in a Horserace*, at Milton Keynes Gallery in the UK. Bright sequined fabric (orange, pink, silver, purple, yellow, different hues of green, etc.) pieces were installed on the floor in different gallery rooms—each piece was carefully cut in reaction/relation to the shape, light, and the space of the gallery. For me this work really speaks to an amplified performativity that I see in all bodies of your work. Amplified in that the sequins shift, glimmer, and fade as the viewer (or the sun) moves through the room, in addition to the site-specific installation, which creates an all-encompassing composition. While the rugs may not shape-shift with light, they retain a different kind of performativity—an invitation to engage through symbolism and storytelling, functional relationships and sheer scale. While the sequined installation is a direct dialogue with the space it inhabited, as you say, *Happiness Runs* permits a new kind of call and response between the rugs and this historical site.

PA

I'm glad you brought up the Milton Keynes show, because it was my first exhibition where the viewer could enter into the work. There was positive and negative space ... the viewer was only allowed in the negative space, they weren't allowed to walk on the sequins. I have an incredible photo sequence of a blind woman being led through the space, while her partner explained the work **fig. 4**. They were experiencing that move-

grob eigentlich, denn man verlor zu der Zeit eine Menge Information, wenn man etwas am Fotokopierer vergrößerte. Die Ränder fransten aus, die Auflösung war sehr gering. Das Interessante ist, dass die Weber die Gradierung der Fotokopien exakt nachwebten, sodass das Ergebnis eine Übersetzung einer Übersetzung war – von der Handarbeit zur Maschine zur Handarbeit.

Es folgte eine lange Zeit – 16 Jahre –, in der ich nicht viel an Teppiche dachte. 2012 wurde ich eingeladen, an der *Miss Dior*-Ausstellung teilzunehmen, in der 15 Künstlerinnen und Designerinnen Christian Dior huldigen sollten. Da fiel mir diese frühere Erfahrung ein, und ich nahm wieder Kontakt mit den Webern von damals auf. Vielleicht war es auch die Assoziation mit Design und Dessins und mit Frauen, die vom Kunstgewerbe zur Kunst wechselten, was mich darauf brachte, wieder Teppiche zu machen. Dior hatte in den späten 1950er-Jahren das Hahnentrittmuster aufgegriffen, das schließlich eine Art Markenzeichen des Labels wurde. Mein Ausstellungsbeitrag *Rainbow Nirvana Houndstooth* beruhte auf Diors Hahnentrittmuster, führte es aber – auf der Basis einer Holzschnittserie von mir – in Regenbogenfarben aus Abb. 2. So spielten auch Mode und Design mit hinein. Das sind die frühesten Arbeiten in *Happiness Runs*. Aber ich würde diese früheren Arbeiten eher als Vorläufer der späteren Installationen betrachten, zumal es sich um Auftragsarbeiten handelte.

KM

Kannst du etwas mehr zur Geschichte der Frauen sagen, „die vom Kunstgewerbe zur Kunst wechselten"? Ich wüsste gern, wie du dazu stehst, weil mir scheint, dass wir in einer Zeit leben, in der der Begriff Design im zeitgenössischen Kunstdiskurs an Stellenwert gewinnt, und ich mich frage, ob es nicht bloß ein aktualisiertes Wort für Kunstgewerbe ist. Zumindest ist es geschlechtsneutraler. Kannst du etwas mit dem Begriff Design anfangen, vor allem in Bezug auf die Teppiche?

PA

Eigentlich mag ich den Begriff Kunstgewerbe. Vor etwa zehn Jahren versuchte der Kunstbetrieb, ihn loszuwerden. Ich habe mich immer für ein Hybrid gehalten, mich u. a. bei Mode, Design, Kunstgewerbe, Malerei und Plastik bedient. Sonia Delaunay war so eine frühe Cross-over-Figur für mich. Meine Arbeiten wurden als Malerei, als Plastik und manchmal als Installation gesehen. Aber ich würde sagen, wir müssen weg davon, Wörter wie Kunstgewerbe und Design zu stigmatisieren, damit diese Begriffe nicht mehr dazu verwendet werden können, gewisse Arbeiten auszugrenzen, Arbeiten, die meist mit Frauen assoziiert werden. Mir fällt dazu die Bemerkung der kürzlich verstorbenen Keramikerin Betty Woodman ein, dass in ihren Anfängen nur eines schlimmer war, als eine *woman artist* zu sein, nämlich eine Keramikerin zu sein.

2015 sah ich eine Ausstellung, die dieses Thema behandelte, *Pathmakers: Women in Art and Design, Midcentury and Today* im New Yorker Museum of Arts and Design (früher: American Craft Museum, ein weiteres Symptom dessen, worüber wir hier reden). Ein Wahnsinn, wie viele erstaunliche Frauen darin vertreten waren, von denen ich nie gehört hatte: Schmuckdesignerinnen, Keramikerinnen, Möbelmacherinnen und, und, und. Natürlich kamen auch die bekannten Namen vor: etwa Anni Albers, Sheila Hicks, Ruth Asawa und Lenore Tawney. Diese Frauen hatten es nicht leicht. Für Anni Albers war das Weben vielleicht die einzige Möglichkeit, in eine Bauhaus-Werkstätte aufgenommen zu werden. Sheila Hicks schlug sich damit durch, dass sie für die Design- und Architekturindustrie arbeitete. Wir müssen überdenken, wie wir zu diesen Wörtern stehen, denn in Wahrheit wurde in diesen Genres seit Langem Kunst gemacht. „Arbeiten von Frauen" wurden sowohl in den „hohen" als auch in den „niederen" Künsten marginalisiert. Darum ist es erfreulich, dass man diese Arbeiten neu bewertet, aber ich denke, es muss nicht unbedingt so

Abb. 3 — Ausstellungsansicht *Face (Geometry) (Naked) Eyes*, 2016, in der Ben Maltz Gallery, Otis College of Art and Design, Los Angeles
Fig. 3 — Installation view of *Face (Geometry) (Naked) Eyes*, 2016, at Ben Maltz Gallery, Otis College of Art and Design, Los Angeles

Abb. 4 — Fotos einer blinden Frau in der Ausstellung *Anything Can Happen in a Horserace*, 2009, in der Milton Keynes Gallery, UK
Fig. 4 — Image of blind woman at the exhibition *Anything Can Happen in a Horserace*, 2009, at Milton Keynes Gallery, UK

sein. Was meine Teppiche betrifft, ist übrigens interessant, dass in Oaxaca die Männer die Webarbeit machen und die Frauen für die Farbe (das Färben der Wolle) zuständig sind, aber das ist wieder eine andere Geschichte.

KM

Als wir 2016 in der Ben Maltz Gallery in Los Angeles an *Face (Geometry) (Naked) Eyes* Abb. 3 arbeiteten, sprachen wir über die Verwendung des Wortes „rug" als Beschreibung für diese Werkgruppe. Ich erinnere mich, dass ich zwischen „rug" und „carpet",[1] „Fallen Painting" und „Installation" schwankte und du für die profanste Bezeichnung warst. Kannst du etwas über deine Haltung zum Wort „rug" sagen?

PA

Ich habe kein Problem mit dem Wort „rug" – ich mag es lieber als „carpet". Ich sehe „rug" auch als Beschreibung für diese Werkgruppe und es gefällt mir, dass es der weniger vornehme Ausdruck ist; das passt zu meinem Gefühl, dass meine Arbeiten irgendwo zwischen Kunst und Leben angesiedelt sind. (Ich mochte immer schon den Rauschenberg-Ausspruch: „Malerei bezieht sich sowohl auf die Kunst als auch auf das Leben. Keines von beiden kann gemacht werden. Ich versuche, in der Lücke dazwischen zu agieren."[2] Doch mir geht es auch darum, etwas von der Dimension und der Funktion eines Haushaltsgegenstands durch einen Größensprung immersiv werden zu lassen. Genau das besagt für mich eigentlich der Begriff „Installation" – kein Werk zum Betrachten, sondern eins zum Bewohnen. Als Betrachterin oder Betrachter wird man Teil der Installation. Das Wort eignet sich gut, um die Teppiche zusammen mit allen anderen damit verknüpften Elementen zu beschreiben: den Keramikarbeiten, den Tapeten, den Perlen usw. Alle meine letzten Ausstellungen waren großräumig und situativ; wenn ich also sage: „Das ist kein Teppich", so meine ich das eher als Irreverenz, so wie Magritte. Aus Irreverenz bin ich ja überhaupt erst auf den Boden gekommen. Das Aufregende – und Neue – an der Ausstellung *Happiness Runs* ist für mich, dass sie nur aus Teppichen besteht, mit Ausnahme der Perlen in *Face (Geometry) (Naked) Eyes*. Damit kehre ich zum ausschließlichen Arbeiten auf dem Boden zurück, aber angesichts so vieler verschiedener Arbeiten und eines so großen, weiten Raums wird die Wirkung eine andere sein. Der Raum wird vollkommen offen sein, sodass man die Arbeiten wie entlang einer Zeitleiste ohne Unterbrechung durchwandern kann. Bewegung und Zeit erhalten dabei eine Bedeutung, die sie in den Einzelinstallationen nicht hatten. Ich finde auch die Geschichte des Raums interessant – ein spätmodernes, ursprünglich als Pavillon für die Expo 1958 in Brüssel entworfenes Gebäude, das dann abgebaut und nach Wien transferiert wurde. Auch der Raum hat also mit Verlagerung, Verpflanzung, dem Zusammenfügen von Vergangenheitsfragmenten zu tun.

KM

Kannst du etwas mehr zu diesen Ideen Bewegung, Zeit und Ortsspezifik sagen? Ich habe viel über deine 2009 in der britischen Milton Keynes Gallery gezeigte Schau *Anything Can Happen in a Horserace* nachgedacht. Elemente aus bunten Paillettenstoffen (orange, rosa, silber, violett, gelb, diverse Grüntöne) waren auf dem Boden der verschiedenen Galerieräume ausgelegt – jedes davon sorgfältig in Abstimmung mit Form, Licht und dem Raum der Galerie ausgeschnitten. Für mich tritt in dieser Arbeit verstärkt eine Performativität zutage, die eigentlich allen deinen Arbeiten innewohnt. Verstärkt deshalb, weil hier zur ortsspezifischen Installation und zur umfassenden Komposition hinzukommt, dass sich die Pailletten mit der Bewegung der oder des Betrachtenden (bzw. der Sonne) durch den Raum verändern, aufleuchten und verblassen. Teppiche verändern ihre Form zwar nicht mit dem Licht, aber sie

ment that I'm talking about. I love that those pieces were cut for the space with those paths in mind. I feel these pieces led me back into installation and the idea of floor painting. In *Happiness Runs*, you can walk on the pieces (without shoes), which is a performative/experiential act like the earlier sequined work. I always liked the idea of the Aboriginal song lines, which connect walking and movement to storytelling.

KM

Each rug you have produced over the last 22 years maintains very specific symbols and references, some more overt than others. This can be seen in your choice of colors, imagery, scale, and installation. For example, in *Face (Geometry) (Naked) Eyes*, you were working with a number of ideas particular to site and history. These rugs responded to Los Angeles' rich history of New Ageism, the surrealist films of Chilean director Alejandro Jodorowsky, and a visit to Italy, where you first encountered the Otranto Cathedral's incredible mosaic floor,[2] which depicts many diverse mythologies, beyond the expected Biblical references. In all of your rugs, there is a range in both the figurative, and the abstract and the biographical. I am curious about some of the decisions behind specific projects. In particular, can you speak about *For the Love of Morris Louis* (2015) at the Everson Museum of Art in Syracuse, New York and the more recent *The Potential of Women* (2017) at Alexander Gray Associates in New York?

PA

For the Love of Morris Louis fig. 5 and *For the Love of Gene Davis*, at Temple Contemporary in 2014, (like the two precursor rugs), follow a slightly different train of thought. They have more to do with my relationship to painting, particularly American abstract painters, and even more particularly, the Washington Color School painters. These painters, along with Helen Frankenthaler, are associated with "stain painting." This brings up questions of surface, of control and accident that were important to my early work. At that time, I was often contextualized in terms of painting, and so color, and the open-ended meanings that can come with color and abstract form were more at the forefront. But in terms of symbol, there is also the idea of the Rorschach, and the unconscious, which was very much at work in the early stain pieces I did. *For the Love of Gene Davis* fig. 6 was based on his *Franklin's Footpath*, 1972, which I saw as a teenager. He painted it with a bucket and rollers directly on the street in front of the Philadelphia Art Museum. It was an incredibly radical piece: painting completely decontextualized outside the frame of the gallery wall and the museum. But an important part of translating the memory of that piece was that I wove Gene Davis into the rug by having his footprints, bucket print and roller print to scale in the rug. The imprint was based on a famous Time Magazine photo of Davis standing on the piece with his paint bucket and roller. It was a way for the piece to acknowledge his presence and its history, and started to open up the work to more explicit symbol and reference.

With *For the Love of Morris Louis* and *Evergreen Blueshoes*,[3] I had the opportunity to expand on the idea of the footprint, and this idea of the trace and memory. And one of the earliest instances of using the footprints was very explicitly symbolic: *Deep Purple, Red Shoes* in 2015 at Be-Part in Belgium, was based on the red shoes of the virgins in the Byzantine mosaics at Sant' Apollinare Nuovo in Ravenna, which I visited numerous times while I was in Rome. In all these pieces, the footprints were relating more to the pieces being on the floor than the artist's presence. I was thinking specifically about Andy Warhol's *Dance Diagrams* from the '60s, but also the reference to popular culture and these simple signs that everyone can understand. The

enthalten eine andere Art der Performativität – die Einladung, sich via Symbolik und Narration, funktionale Beziehungen und schiere Größe mit ihnen auseinanderzusetzen. War die Pailletteninstallation ein direkter Dialog mit dem Raum, in dem sie stattfand, so gestattet *Happiness Runs* eine neue Form des Wechselspiels zwischen den Teppichen und dem historischen Ort.

PA

Ich bin froh, dass du die Milton-Keynes-Schau zur Sprache bringst, denn sie war meine erste Ausstellung, in der die Besucherinnen und Besucher die Arbeit betreten konnten. Sie bestand aus einem positiven und einem negativen Raum ... wobei man nur den negativen Raum betreten durfte, nicht aber die Stoffstücke. Ich besitze eine unglaubliche Fotosequenz von einer blinden Frau, die von ihrem Partner durch den Raum geführt wird, während er ihr die Arbeit erklärt Abb. 4. Sie haben die Bewegung, von der ich spreche, wirklich erlebt. Mir gefällt, dass die Elemente speziell für den Raum und im Hinblick auf diese Wege ausgeschnitten wurden, und ich denke, es waren diese Arbeiten, die mich zurück zur Installation und zur Idee der Bodenmalerei gebracht haben. In *Happiness Runs* kann man die Teppiche (ohne Schuhe) betreten, was wie bei den früheren Paillettenarbeiten ein performativer Akt ist, ein Akt der Erfahrung. Ich habe immer die Idee der Traumpfade gemocht, in denen sich Gehen und Bewegung mit dem Erzählen von Geschichten verbinden.

KM

Jeder deiner in den letzten 22 Jahren entstandenen Teppiche enthält ganz bestimmte – manchmal mehr, manchmal weniger offensichtliche – Symbole und Referenzen, die sich in Farbwahl, Bildsprache, Größe und Installationsweise zeigen. In *Face (Geometry) (Naked) Eyes* hast du z. B. mit einer Reihe orts- und geschichtsspezifischer Ideen gearbeitet. Die Teppiche weisen Bezüge zur reichen New-Age-Geschichte von Los Angeles, zu den surrealistischen Filmen des chilenischen Regisseurs Alejandro Jodorowsky und zu einem Italienaufenthalt auf, bei dem du zum ersten Mal den unglaublichen Mosaikboden der Kathedrale von Otranto sahst, in dem neben den erwartbaren biblischen Referenzen auch zahlreiche andere Mythen darstellt sind.[3] In deinen Teppichen herrscht eine gewisse Spannbreite, sowohl was Figuration und Abstraktion als auch was das Biografische betrifft. Mich würden einige Entscheidungen hinter bestimmten Projekten interessieren. Könntest du konkret etwas zu *For the Love of Morris Louis* (2015) im Everson Museum of Art in Syracuse und zu *The Potential of Women* (2017) bei Alexander Gray Associates in New York sagen?

PA

For the Love of Morris Louis Abb. 5 und *For the Love of Gene Davis*, 2014 bei Temple Contemporary, verfolgen (wie die zwei früheren Teppiche) einen etwas anderen Gedanken. Sie haben eher mit meiner Beziehung zur Malerei zu tun, genauer gesagt zur amerikanischen abstrakten Malerei oder noch genauer zur Malerei der Washington Color School. Ihre Vertreter werden – gemeinsam mit Helen Frankenthaler – mit dem *stain painting*, dem direkten Aufbringen von Farbe auf die Leinwand, verbunden. Das wirft Fragen der Oberfläche, der Kontrolle und des Zufalls auf, die für meine frühen Arbeiten wichtig waren. Damals wurde ich häufig im Kontext der Malerei gesehen, also standen Farbe und die mit Farbe und abstrakter Form einhergehenden offenen Bedeutungen im Vordergrund. Auf der symbolischen Ebene spielte aber auch die Idee des Rohrschachmusters und des Unbewussten, insbesondere in meinen frühen „Stain"-Arbeiten, eine wesentliche Rolle.

For the Love of Gene Davis Abb. 6 beruhte auf dessen Arbeit *Franklin's Footpath* (1972), die ich als Teenager sah. Er malte sie mit Farbeimer und -walze

idea of being in a painted environment was also important, and the feet really reinforced that for me. They help to invite the viewer in fig. 7. And I like the counterintuitive idea that I am marking a surface with the sign of feet when you already know you are supposed to walk on it.

In *The Potential of Women* (p. 111) there were two main references. The image on the rugs and the title of the show were from a book documenting a 1963 symposium about women's future role in society. The image, by Rudolph de Harek fig. 8, was repeated on all four rugs. I'm interested in the idea of looking back to go forward, and I liked the idea of starting with this somewhat ambivalent image, which could be given a new meaning by repetition in different media. The flattening and saturation of color is something related to design and the iconic image of a woman's face. So there is something of a shift here, but I think it is consistent with the history of the rug between craft, graphics, and abstraction. But having these personages in the room was something new—I think of them as a kind of a Greek Chorus that gives voice to the performance.

KM

In this current political climate I have been thinking a lot about the word "gather." What are spaces or tools that bring people together during this urgent and polarizing time in our country and world at large? There are certainly classic civic spaces like town halls or places of worship, but I have been thinking about your rugs as also creating spaces to gather. As rugs are utilitarian objects, they almost act as an invitation, even when situated in museums or galleries, where it is rare that a visitor gets to engage in a tactile capacity. Is this something you have thought about?

PA

This was definitely an aspect of *The Potential of Women* show. It wasn't necessarily prescriptive, or reactive; it was more of a natural extension of my work and the dialogue around my work. I started thinking and working on the exhibition in the spring of 2017. People have had a lot of different responses to this new political reality, and I have been part of marches and activism, but I don't necessarily see my artwork as an extension of that. I think the exhibitions have more to do with claiming space for us as artists and as women. So it has to do with the optimism of the work, and trying to find some kind of collective voice—it's that Greek Chorus idea again. Maybe that's one of the reasons I was attracted to the cover image, the idea that it was so immediately legible, nothing esoteric but instead inclusive and generous, something that pulls people in. There is a new book on the Danish artist Poul Gernes, an artist I've always liked, that takes its title from a 1971 sketch of a manifesto. It reads, "I cannot do it alone—want to join in?" that captures this spirit well, I think. And it relates to my desire for the work to exist between art and life.

The gathering aspect is also related to my time in Italy, looking at art in religious spaces: art on the walls, art on the floor, integrated into the architecture, art everywhere. I'm searching for a secular version of this spiritual bliss; creating a gathering space where the art functions like it does in a church, where there's something pulling people in and engaging them. And of course, there are prayer rugs, which do this very explicitly, creating a small, moveable sacred space. But I would also say that I'm interested in the rug as domestic object, and its association with nomadic peoples—Bedouin tribes but also hippies in vans during the sixties. There's this idea that the rug defines the condition of home wherever it's placed. Rather than a protest space, a space of negativity and resistance, I'm looking for a more generous, open, and accessible space that the work can open up.

Abb. 5 — Polly Apfelbaum, *For the Love of Morris Louis*, Teil von *3 Graces*, 2016, im Everson Museum of Art, Syracuse
Fig. 5 — Polly Apfelbaum, *For the Love of Morris Louis*, part of *3 Graces*, 2016, at Everson Museum of Art, Syracuse

Abb. 6 — Polly Apfelbaum, Gene Davis & Dan Cole, *For the Love of Gene Davis*, Ausstellungsplakat, 2014, Temple Contemporary Gallery, Philadelphia
Fig. 6 — Polly Apfelbaum, Gene Davis & Dan Cole, *For the Love of Gene Davis*, exhibition poster, 2014, Temple Contemporary Gallery, Philadelphia

Abb. 7 — Ausstellungsansicht *Deep Purple, Red Shoes*, 2015, Be-Part, Waregem, BE
Fig. 7 — Installation view of *Deep Purple, Red Shoes*, 2015, Be-Part, Waregem, BE

Abb. 8 — Buchcover *The Potential of Woman*, 1963, Umschlaggestaltung von Rudolph de Harak
Fig. 8 — Cover of the book *The Potential of Woman*, 1963, cover design by Rudolph de Harak

direkt auf die Straße vor dem Philadelphia Museum of Art. Es war eine unglaublich radikale Arbeit: eine vollkommen vom Kontext der Galeriewand und des Museums befreite Malerei. Ein wichtiger Teil der Übersetzung meiner Erinnerung an diese Arbeit war, dass ich Gene Davis in Form der lebensgroßen Abdrücke seiner Füße, seines Eimers und seiner Walze in den Teppich einwob. Die Abdrücke beruhten auf dem berühmten Foto im *Time Magazine*, das Davis mit Farbeimer und -walze auf seinem Gemälde stehend zeigt. Es war eine Möglichkeit, in der Arbeit seine Präsenz und die eigene Geschichte anzuerkennen, und öffnete das Werk nach und nach für explizitere Symbole und Referenzen.

For the Love of Morris Louis und *Evergreen Blueshoes*[4] gaben mir Gelegenheit, die Idee des Fußabdrucks und überhaupt die Idee der Spur und der Erinnerung weiterzuspinnen. Und eine der ersten Arbeiten, in denen ich Fußabdrücke verwendete, war explizit symbolisch: *Deep Purple, Red Shoes*, 2015 bei Be-Part in Belgien gezeigt, bezog sich auf die roten Schuhe der Jungfrauen in den byzantinischen Mosaiken von Sant' Apollinare Nuovo in Ravenna, die ich während meines Romaufenthalts immer wieder besuchte. In all diesen Arbeiten haben die Fußabdrücke mehr mit dem Umstand, dass es sich um Bodenarbeiten handelt, als mit der Präsenz des Künstlers zu tun. Ich dachte speziell an Andy Warhols *Dance Diagrams* aus den 1960er-Jahren, hatte aber auch die Populärkultur und ihre einfachen, allgemein verständlichen Zeichen im Sinn. Wichtig war außerdem die Vorstellung des Eintauchens in eine gemalte Umgebung, und die Füße verstärkten das für mich. Sie laden die Betrachterin oder den Betrachter zum Betreten ein Abb. 7. Und ich mag das Kontraintuitive daran, eine Fläche, von der man bereits weiß, dass man sie betreten soll, mit Fußabdrücken zu markieren.

In *The Potential of Women* (S. 111) gab es zwei Hauptbezugspunkte. Das Bild auf den Teppichen und der Titel der Ausstellung stammten vom Dokumentationsband eines Symposiums aus dem Jahr 1963 über die künftige Rolle der Frau in der Gesellschaft. Das Bild von Rudolph de Harak Abb. 8 wurde auf allen vier Teppichen wiederholt. Mich interessiert diese Methode der Rückschau zum Zweck des Voranschreitens, und es gefiel mir, von diesem etwas ambivalenten Bild auszugehen, dem man durch Wiederholung in verschiedenen Medien eine neue Bedeutung geben kann. Die Flächigkeit und die gesättigten Farben sind etwas, das mit Design und mit der ikonenhaften Darstellung eines Frauengesichts verbunden ist. Es findet hier also eine Art Verschiebung statt, aber sie passt für mich zur Geschichte des Teppichs zwischen Kunstgewerbe, Grafik und Abstraktion. Dennoch war es etwas Neues, diese Personen im Raum zu haben – ich stelle sie mir als eine Art griechischen Chor vor, der das Geschehen kommentiert.

KM

Ich habe im derzeitigen politischen Klima viel über das „Versammeln" nachgedacht. Welche Räume oder Mittel bringen Menschen in dieser schwierigen und polarisierenden Zeit – nicht nur in unserem Land, sondern überall auf der Welt – zusammen? Natürlich gibt es die klassischen öffentlichen Räume wie Rat- oder Gotteshäuser, aber mir scheint, dass auch deine Teppiche eine Art Versammlungsort schaffen. Als Gebrauchsobjekte wirken sie fast wie eine Einladung, selbst in Museen oder Galerien, wo Besucherinnen und Besucher kaum je leibhaftig mit Dingen in Berührung kommen. Ist das etwas, das für dich eine Rolle spielt?

PA

Das war definitiv ein Aspekt der Ausstellung *The Potential of Women*. Nicht unbedingt in einem präskriptiven oder reaktiven Sinn; eher als natürliche Erweiterung der Arbeit und des sie begleitenden Dialogs. Darüber nachzudenken und daran zu arbeiten begann ich im Frühjahr

KM

I think this leads us to the inspiration for this exhibition's title, *Happiness Runs*. Can you elaborate on what inspired this title?

PA

"Happiness runs in a circular motion" is a Donovan song from 1968, but I decided to just go with "Happiness Runs" for the show title. The song was originally titled "Pebble and the Man"; apparently Donovan rewrote it after visiting India with the Beatles. The song is done as a round with backing vocals by Graham Nash, Mike McCartney, and Leslie Duncan. What I like about it and I think makes sense for this show, is the simplicity and physicality of the round (or canon) form. It's not accidental that rounds are often sung by children; there is something very immediate in the harmonies generated by the same phrases just slightly out of sync with one another. No complex scores, no assigned parts, just starting at different times and singing the same tune and lyrics.

In the context of the show, it's also about the installation in the space—moving around and seeing work completed at different times in succession, but all at once ... there is something of the "round" idea in that. For me there is another shade of meaning in the lyric: if happiness runs, you may never catch it... As in one of my favorite statements by Agnes Martin, "I believe in living above the line. Above the line is happiness and love, you know. Below the line is all sadness and destruction and unhappiness. And I don't go down below the line for anything."[4]

KM

I love this. It makes me consider the phrase "the politics of pleasure," which I think is inherent in many bodies of your work. I heard the remarkable Dominican American author Junot Díaz speak last year and when asked about the role of dystopia in relation to his writing and this current political situation, he said something to the effect of "it's so easy to imagine dystopias right now, we need to flex the most underutilized muscle: the utopian muscle."[5] I feel like your work often engages the political through a challenging, yet seductive, and often buoyant engagement with color, appropriation, material, choreography and language. I like what you said about happiness and Martin's living "above the line," as well as Poul Gernes's invitation, "want to join in?" I really believe that happiness is a radical and subversive tool in this day and age, though it may sound naïve to say aloud. Do you feel like there is an aesthetic to pleasure?

PA

I'm in love with the idea of "flexing the utopian muscle." For me it's about hope and imagination, of not simply pushing back but mapping out a better alternative—that seems to me something we can uniquely do as artists. I think of the poet Kenneth Koch who said, in a conversation with John Ashbery recorded in 1965, "I was thinking today as I drove over here what my poetry could possibly do for me or for anyone who reads it. I thought it might make people happy, temporarily"; to which Ashbery replies, "ambiguity seems to be the same thing as happiness, or pleasant surprise, as you put it";[6] or, as Jay DeFeo once said, "Only by chancing the ridiculous, can I hope for the sublime."[7] These remarks talk about happiness not as empty or thoughtless, and in any event, only temporary. Not achieved but only promised, which I think is a harder idea of beauty, and not so easy to dismiss.

KM

When you said earlier that the particular installation of *Happiness Runs* is about "the moving around and seeing work completed at different times in succession," it made me think about the inherent and hypnotic visual experience—animated, really—of your rugs ... and

2017. Es gab eine Menge unterschiedlicher Reaktionen auf die neue politische Realität, und ich selbst nahm an Demonstrationen und Aktionen teil. Aber ich sehe meine künstlerische Arbeit nicht unbedingt als eine Fortsetzung dessen. Meiner Ansicht nach geht es in den Ausstellungen mehr darum, einen Raum für uns als Künstlerinnen und Frauen zu erringen. Es geht um den Optimismus der Arbeit, den Versuch, eine Art gemeinsame Stimme zu finden – da ist wieder diese Idee des griechischen Chors. Vielleicht sprach mich dieses Umschlagbild auch deshalb so an, weil man es unmittelbar lesen konnte, weil es nichts Esoterisches hatte, sondern großzügig integrativ war, etwas, das einen hineinzieht. Es gibt da dieses neue Buch über den dänischen Künstler Poul Gernes, einen Künstler, den ich immer geschätzt habe. Sein Titel, der auf den Entwurf eines Manifests aus dem Jahr 1971 zurückgeht, lautet: *I Cannot Do It Alone – Want to Join in?* (Allein kann ich es nicht – machst du mit?). Ich finde, das gibt diesen Geist gut wieder. Und es hat mit meinem Bestreben zu tun, Werke zu schaffen, die zwischen Kunst und Leben stehen.

Der Versammlungsaspekt hängt auch mit meinem Italienaufenthalt zusammen, mit all dieser Kunst in sakralen Räumen: Kunst auf Wänden, auf dem Boden, in Architektur integriert, Kunst einfach überall. Ich strebe eine säkulare Version dieses spirituellen Glückszustands an; die Schaffung eines Versammlungsraums, in dem Kunst funktioniert wie in einer Kirche, wo man von etwas hineingezogen und ergriffen wird. Dazu gibt es natürlich Gebetsteppiche, wo das ganz offensichtlich geschieht, die einen kleinen beweglichen sakralen Raum schaffen. Zugleich interessiert mich der Teppich auch als Haushaltsgegenstand, seine Verbindung mit Nomadenvölkern – seien es Beduinenstämme oder in Kleinbussen herumziehende Hippies –, diese Vorstellung, dass der Teppich, wo immer er ausgebreitet wird, ein Zuhause definiert. Was ich mit meiner Arbeit anstrebe, ist also kein Protestraum, kein Raum der Negativität und des Widerstands, sondern die Erschließung eines großzügigeren, offeneren, zugänglicheren Raums.

KM

Das bringt uns, denke ich, zum Titel dieser Ausstellung: *Happiness Runs*. Kannst du näher ausführen, was dahintersteckt?

PA

Happiness Runs in a Circular Motion ist ein Donovan-Song aus dem Jahr 1968, aber ich beschloss, nur *Happiness Runs* zu nehmen. Der Song hieß ursprünglich *Pebble and the Man*; Donovan schrieb ihn angeblich um, nachdem er mit den Beatles in Indien gewesen war. Der Song ist als Kanon gestaltet, mit Graham Nash, Mike McCartney und Leslie Duncan als Mitsingenden. Was mir daran gefällt und auch Sinn für die Ausstellung ergibt, sind die Schlichtheit und die Körperlichkeit der Kanonform. Nicht zufällig werden Kanons oft von Kindern gesungen; ihre Harmonien, die durch die Wiederholung gleicher, leicht gegeneinander verschobener Phrasen entstehen, haben etwas sehr Unmittelbares. Es gibt keine komplexe Partitur, keine verteilten Partien, lediglich das zeitlich versetzte Singen derselben Melodie und desselben Texts.

Im Kontext der Ausstellung geht es auch um die Installation im Raum: Das Herumwandern und Betrachten zu verschiedenen Zeiten entstandener Arbeiten in ihrer Abfolge und doch zugleich nebeneinander – auch das hat etwas von einem Kanon. Für mich steckt in dem Text aber noch eine andere Bedeutung: Wenn das Glück läuft, kriegt man es nie zu fassen ... Es ist wie in einem meiner Lieblingsaussprüche von Agnes Martin: „Ich glaube an das Leben über der Linie. Über der Linie herrschen Glück und Liebe, wissen Sie. Unter ihr sind nur Traurigkeit und Zerstörung und Unglück. Und ich bewege mich um nichts in der Welt unter die Linie."[5]

the collaborative quality that springs to life … once foot is upon them, is undeniable.

PA

You are right; a lot of my work is related to the animated world, the *Powerpuffs* (2000, fig. 9) being an obvious example. Maybe you remember I always start my lectures with a *Road Runner* still? What I love about cell animation is that it's fast and slow at the same time. Those animators like Chuck Jones had such a sophisticated sense of rhythm. There's the movement of making and the movement of viewing. Like those animations that earlier work such as the *Powerpuffs* was literally made up of thousands of cells; mine were arrayed in space, theirs in time. This applies to the recent work too, and the sense of the graphic and the supersaturated colors. Like the roadrunner in the desert, the horizontal plane is my world; the field of color.

KM

The floor has been the site for many different bodies of your work. From hand-dyed and hand-placed pieces of material that make up your *Powerpuffs* to the *Splats* and *Spills*, to the swaths of sequined fabric hand-cut to the architecture of a space, do you find that the woven rug offers a different set of parameters and opportunities to work within?

PA

This is a really interesting question. For thirty years I've been focused on working on the floor. By now it's the one constant; it's innate to who I am as an artist. I keep going back to Leo Steinberg's famous idea of the "flatbed picture plane."[8] For Steinberg, the idea of the painting as a window was dismantled by reference to something concrete and in the world: "hard surfaces such as tabletops, studio floors, charts, bulletin boards—any receptor surface on which objects are scattered, on which data is entered, on which information may be received, printed, impressed—whether coherently or in confusion."[9] For example, I used to talk about the early spill pieces as looking like laundry scattered on the floor and you can imagine how pleased I was to find this description of a shirt in one of Rauschenberg's paintings as "…like laundry laid out for pressing." He continues: "the consistent horizontality is called upon to maintain a symbolic continuum of litter, workbench, and data-ingesting mind."[10]

Specifically, looking back, and thinking about this question of the rug today, I would say that, on the one hand it coincided with the conscious shift to an installation focus—the idea of the work as an immersive environment, a painting you can walk into and on (so the practical question of being able to walk on the rugs is actually important—that was never the case with my earlier floor-based work, which was actually quite delicate.) But in retrospect there was also another important influence while I was in Rome. There was a fascinating show at the French Institute called *Flying Carpets* curated by Philippe-Alain Michaud in 2012, who is a film historian and curator. His focus is on time, movement, and repetitive patterns and images: "…the realization that in concrete and historical terms the rug is not simply a stable rendering of a plane surface. It is also an interweaving of images, a looping of motifs, and a space shaped by the persistence of vision. As something that is moved from place to place and which sets the feet and eyes in motion, the rug is a powerful metaphor for movement."[11] He relates the "carpet effect" (*effet-tapis*) to the history of experimental film; the rug is an animated surface perceived by the viewer in motion. There was work in the show by Alighiero Boetti, Stan Brackhage, and Morton Feldman that really expanded my ideas about the history of carpets as an influence. And maybe with *Happiness Runs*, it has come full circle and you can see the installation as a kind of animated film that the viewer walks through.

KM

Gefällt mir. Dabei kommt mir der Begriff „Lustpolitik" in den Sinn, die meiner Meinung nach in vielen deiner Werkgruppen zu spüren ist. Letztes Jahr war ich bei einer Lesung des großartigen dominikanisch-amerikanischen Autors Junot Díaz. Auf die Rolle der Dystopie in seinem Schaffen und die gegenwärtige politische Situation angesprochen, sagte er sinngemäß: „Es ist heute so leicht, sich Dystopien vorzustellen, dass wir den am wenigsten benutzten – den utopischen – Muskel spielen lassen müssen."[6] Mir scheint, dein Werk thematisiert das Politische durch eine anspruchsvolle und doch verführerische und meist heitere Auseinandersetzung mit Farbe, Appropriation, Material, Choreografie und Sprache. Mir gefällt, was du über das Glück gesagt hast, ebenso wie Martins „Leben über der Linie" und Poul Gernes' Einladung zum „Mitmachen". Ich glaube wirklich daran, dass Glück in dieser unserer Zeit ein radikales und subversives Mittel sein kann, auch wenn es sich naiv anhören mag. Glaubst du, der Lust wohnt eine eigene Ästhetik inne?

PA

Ich liebe die Vorstellung, den „utopischen Muskel spielen zu lassen". Für mich hat das mit Hoffnung und Imagination zu tun, es bedeutet, nicht bloß zurückzuweisen, sondern eine bessere Alternative aufzuzeigen. Das scheint mir etwas zu sein, wozu wir Künstlerinnen und Künstler prädestiniert sind. Ich denke da an den Dichter Kenneth Koch, der in einem 1965 aufgezeichneten Gespräch mit John Ashbery sagt: „Ich habe mich heute, während ich im Auto hierhergefahren bin, gefragt, was meine Lyrik für mich oder jemand, der sie liest, tun könnte, und habe mir gedacht, sie könnte Leute vielleicht vorübergehend glücklich machen." Worauf Ashbery antwortet: „Ambiguität scheint dasselbe wie Glück oder, wie du es auch genannt hast, eine angenehme Überraschung zu sein."[7] Und Jay DeFeo hat einmal gesagt: „Nur wenn ich das Lächerliche riskiere, kann ich auf das Erhabene hoffen."[8] In allen diesen Bemerkungen erscheint das Glück nicht leer und sorglos und jedenfalls nur vorübergehend. Es ist nicht erreicht, nur versprochen, was, so meine ich, eine härtere und nicht so leicht zu verwerfende Vorstellung von Schönheit ist.

KM

Als du vorhin sagtest, in dieser speziellen Installation *Happiness Runs* gehe es um „das Herumwandern und Betrachten zu verschiedenen Zeiten entstandener Arbeiten in ihrer Abfolge", kam mir die hypnotische visuelle Erfahrung, ja das Animierte in den Sinn, das deinen Teppichen innewohnt ... das unbestreitbar Kollaborative, das zum Leben erwacht, sobald man den Fuß darauf setzt.

PA

Du hast recht; viele meiner Arbeiten haben einen Bezug zur animierten Welt, die *Powerpuffs* (2000,[Abb. 9]) sind ein offensichtliches Beispiel. Du erinnerst dich vielleicht, dass ich meine Vorlesungen immer mit einem *Road Runner*-Still beginne. Mir gefällt an der Cel-Animation, dass sie schnell und langsam zugleich ist. Trickzeichner wie Chuck Jones hatten ein äußerst raffiniertes Rhythmusgefühl. Da findet man die Bewegung des Machens und die des Betrachtens. Wie diese Zeichentrickfilme bestehen auch meine früheren Arbeiten wie die *Powerpuffs* buchstäblich aus Tausenden „Cels". Meine waren im Raum angeordnet, die der Trickfilme in der Zeit. Das gilt auch für die neueren Arbeiten und überhaupt für das Grafische und die supergesättigten Farben. Wie die Welt des Road Runner in der Wüste, so ist auch die meine die ebene Fläche; das Farbfeld.

KM

Der Boden war Schauplatz vieler verschiedener Werkgruppen von dir: von den handgefärbten

Abb. 9 — *Blossom*,
aus der Serie *Powerpuff*, 2000, in der D'Amelio Terras Gallery, New York, Sammlung des Museum of Modern Art, New York
Fig. 9 — *Blossom*,
from the series *Powerpuff*, 2000, at D'Amelio Terras Gallery, New York, collection of the Museum of Modern Art, New York

und von Hand angeordneten Stoffstücken, aus denen sich die *Powerpuffs*, die *Splats* und die *Spills* zusammensetzen, bis hin zu den auf die Architektur des Raums abgestimmten, von Hand ausgeschnittenen Paillettenstoffbahnen. Bildet der gewobene Teppich für dich einen Arbeitsraum mit anderen Parametern und Möglichkeiten?

PA

Das ist eine wirklich interessante Frage. Seit dreißig Jahren arbeite ich sehr viel auf dem Boden; das ist mittlerweile die Konstante schlechthin, das, was mich als Künstlerin auszeichnet. Ich komme immer wieder auf Leo Steinbergs berühmte Vorstellung von der Bildebene als „Flachbett" zurück.[9] Für Steinberg wurde die Vorstellung vom Gemälde als Fenster durch den Bezug auf etwas Konkretes, in der Welt Seiendes demontiert: „[...] harte Flächen wie Tischplatten, Atelierböden, Schautafeln und Pinnwände – kurzum alle Flächen, auf denen Objekte verteilt und Daten aufgetragen, Informationen angebracht, gedruckt oder eingeprägt werden können – sei es geordnet oder ungeordnet."[10] Z. B. pflegte ich über die frühen *Spills* zu sagen, sie sähen aus wie auf dem Boden ausgebreitete Wäsche, und du kannst dir denken, wie erfreut ich war, das Hemd in einem von Rauschenbergs Gemälden als „[...] zum Bügeln ausgebreitete Wäsche" beschrieben zu finden. „Die einheitliche Horizontalität", schreibt Steinberg weiter, „wird herangezogen, um ein symbolisches Kontinuum zwischen Müll, Werkbank und Daten aufnehmendem Geist zu wahren."[11]

Wenn ich also heute nachträglich über diese Frage des Teppichs nachdenke, würde ich sagen, dass er einerseits mit der bewussten Verschiebung hin zur Installation zusammenfällt – der Idee des Kunstwerks als eine immersive Umgebung, ein Gemälde, in das man hineingehen und das man betreten kann (so gesehen ist der praktische Aspekt, dass man den Teppich betreten kann, tatsächlich wichtig – bei meinen früheren, eigentlich sehr empfindlichen Bodenarbeiten war das nie der Fall). Aber wenn ich so zurückblicke, gab es da noch einen weiteren Einfluss. Während meiner Zeit in Rom lief in der Villa Medici eine faszinierende Ausstellung mit dem Titel *Flying Carpets*, kuratiert vom Filmemacher und Historiker Philippe-Alain Michaud. Sein Hauptaugenmerk galt der Zeit und der Bewegung, repetitiven Mustern und Bildern: „[...] der Erkenntnis, dass der Teppich konkret und historisch betrachtet nicht einfach eine feste Gestaltung einer planen Fläche ist. Er ist auch eine Verflechtung von Bildern und Motiven, ein von der Persistenz des Blicks geformter Raum. Als etwas, das von einem Ort zum anderen transportiert wird und Füße und Augen wandern lässt, ist er eine eindringliche Metapher für Bewegung."[12] Michaud stellte eine Verbindung zwischen dem „Teppicheffekt" (*effet-tapis*) und der Geschichte des Experimentalfilms her; der Teppich als eine in Bewegung wahrgenommene, animierte Fläche. In der Ausstellung waren Arbeiten von Alighiero Boetti, Stan Brakhage und Morton Feldman zu sehen, die mein Bild von der Geschichte des Teppichs und ihrem Einfluss erweiterten. Vielleicht schließt sich mit *Happiness Runs* der Kreis, und die Installation kann als ein von der Betrachterin oder vom Betrachter zu durchwandernder Animationsfilm gesehen werden.

ENDNOTES — ANMERKUNGEN

1 — Dorothy Miller (ed.), *Sixteen Americans*, exh. cat., Museum of Modern Art with Doubleday, New York, 1959, with statements by the artists, including Robert Rauschenberg, p. 58.

2 — Having been awarded the Joseph H. Hazen Rome Prize in Visual arts, Polly Apfelbaum was in residence at the American Academy in Rome from 2012 to 2013.

3 — *Evergreen Blueshoes* was an exhibition that took place at Burlington City Arts in Burlington, VT in 2014.

4 — Agnes Martin, Interview in 2002 by narrator and filmmaker Leon d'Avigdor at her studio in Taos, New Mexico, for a documentary about her life and work titled "Agnes Martin: Between the Lines."

5 — Junot Díaz reading at REDCAT, Los Angeles, CA, January 13, 2017.

6 — *A Conversation with Kenneth Koch* was published by Interview Press as a chapbook in 1965.

7 — Dorothy Miller (ed.), *Sixteen Americans*, exh. cat., Museum of Modern Art with Doubleday, New York, 1959, included statements by the artists, including Jay De Feo), p. 8.

8 — The term was first introduced by art critic and historian Leo Steinberg in his 1972 book *Other Criteria: Confrontations with Twentieth-Century Art* (quoted according to University of Chicago Press, 2007).

9 — Steinberg, 2007 (see note 8), p. 84.

10 — Steinberg, 2007 (see note 8) pp. 88–89.

11 — Philippe-Alain Michaud (ed.), *Flying Carpets*, exh. cat., The French Academy in Rome – Villa Medici, Rome: Drago, 2012, p. 5.

1 — A. d. Ü.: Da das Deutsche nur einen Begriff für Teppich kennt, werden an dieser Stelle die englischen Termini beibehalten; die Differenz zwischen ihnen erschließt sich aus der Gesprächspassage; sonst wird „rug" immer mit „Teppich" wiedergegeben.

2 — Zit. nach Dorothy Miller (Hg.), *Sixteen Americans* (Ausst.-Kat., Museum of Modern Art, New York, gemeinsam mit Doubleday), New York 1959, mit Statements der Künstlerinnen und Künstler, darunter Robert Rauschenberg, S. 58 (Übers. W. P.).

3 — Nach Erhalt des Joseph H. Hazen Rome Prize in Visual Arts hielt sich Polly Apfelbaum 2012/13 als Artist in Residence an der American Academy in Rom auf.

4 — *Evergreen Blueshoes* war eine Ausstellung im Burlington City Arts Center in Burlington, Vermont, 2014.

5 — Agnes Martin 2002 in einem Gespräch, das der Erzähler und Filmemacher Leon d'Avigdor in ihrem Atelier in Taos, New Mexico, für seinen Dokumentarfilm *Agnes Martin: Between the Lines* über ihr Leben und Werk mit ihr geführt hat (Übers. W. P.).

6 — Junot Díaz im Rahmen einer Lesung im REDCAT, Los Angeles, am 13. Jänner 2017.

7 — *A Conversation with Kenneth Koch* erschien 1965 als Leseheft bei Interview Press (Übers. W. P.).

8 — Zit. nach Miller 1959 (wie Anm. 2), S. 8 (Übers. W. P.).

9 — Erstmals eingeführt wurde der Begriff 1972 in Leo Steinbergs Buch *Other Criteria: Confrontations with Twentieth-Century Art* (hier zit. nach der Ausgabe Chicago 2007).

10 — Steinberg 2007 (wie Anm. 9), S. 84 (Übers. W. P.).

11 — Steinberg 2007 (wie Anm. 9), S. 88f. (Übers. W. P.).

12 — Philippe-Alain Michaud (Hg.), *Flying Carpets* (Ausst.-Kat., The French Academy in Rome – Villa Medici), Rom 2012, S. 5 (Übers. W. P.).

Polly Apfelbaum im Belvedere 21

Photos / *Fotos*

Sandro E. E. Zanzinger

Polly Apfelbaum at Belvedere 21

with / *mit*

Dan Cole, Stella Rollig, Johanna Hofer,
Mario Kojetinsky, Leo Mitterdorfer

POLLY APFELBAUM
HAPPINESS RUNS

Werke der Ausstellung

Texts by / *Texte von*

Johanna Hofer

Works at the Show

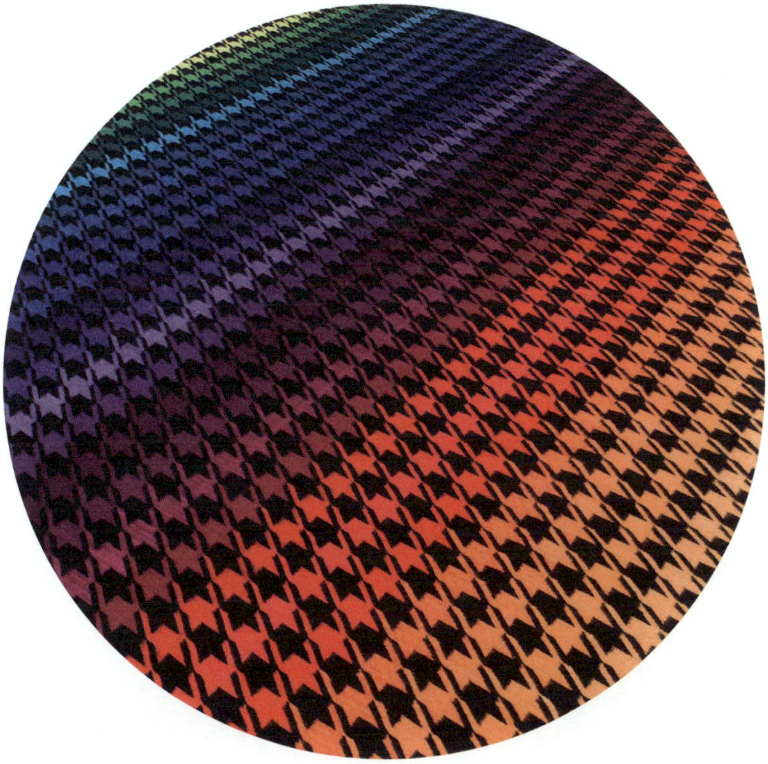

2012

Rainbow Nirvana Houndstooth

Rainbow Nirvana Houndstooth,
New York, NY, 2011

Rainbow Nirvana Houndstooth aus dem Jahr 2012 ist Polly Apfelbaums ältestes Teppichensemble in der Schau *Happiness Runs* im Belvedere 21. Die zweiteilige Installation entstand ursprünglich für eine Gruppenausstellung des Modehauses Dior im Pariser Grand Palais. Als eine von 15 eingeladenen zeitgenössischen internationalen Künstlerinnen entwickelte Apfelbaum ausgehend von der Mode und vom Parfüm „Miss Dior" einen eigenen Ausstellungsbeitrag.

1996 verwendete die Künstlerin im Rahmen der Schau *Woven in Oaxaca* erstmals Teppiche als künstlerisches Material. Für die Dior-Schau griff sie dieses Medium an der Schnittstelle zwischen Kunst, Alltagsgegenstand, Kunstgewerbe und Design erneut auf. Seit ihren künstlerischen Anfängen ist Apfelbaum an der Durchlässigkeit von Kunst und Leben interessiert. Dass Teppiche in Apfelbaums Kunst Eingang gefunden haben, erscheint rückblickend als logische Entwicklung. Sowohl der Boden als Präsentationsfläche ihrer „Fallen Paintings" als auch die Verwendung von textilen Materialien sind seit den 1990er-Jahren charakteristisch für ihr Werk.

Für *Rainbow Nirvana Houndstooth* sampelt Apfelbaum einen von ihr gefertigten regenbogenfarbigen Monoprint aus dem Jahr 2011 mit dem typischen Hahnentrittmuster Diors. Das Houndstooth-Muster, ursprünglich aus Schottland stammend und dort für Männerbekleidung verwendet, wird mit dem französischen Modehaus assoziiert. Christian Dior feierte im Februar 1947 mit einer legendären Modeschau seinen Durchbruch als Modeschöpfer. Eine revolutionäre neue Formensprache und die Betonung des weiblichen Körpers hielten mit dem „New Look" Einzug in die Mode Nachkriegseuropas. Das Hahnentrittmuster wurde nun erstmals für Damenbekleidung eingesetzt. Es gilt bis heute als Diors Markenzeichen.

Muster, Symbole und Farben sowie die Auseinandersetzung mit deren Wirkung und Geschichte sind wiederholt in Apfelbaums Werken präsent. Neu aber ist ab *Rainbow Nirvana Houndstooth* die kontinuierliche Einbindung von Teppichen in ihre Kunst. Rückblickend ist dieses Werk der Ausgangspunkt für Apfelbaums weitere Teppichinstallationen, die in Zusammenarbeit mit Webern im mexikanischen Oaxaca entstehen. Das Material Teppich ermöglicht der Künstlerin, Betrachterinnen und Betrachter unmittelbar zu involvieren: Auf den Teppichen stehend werden sie Teil des Werks. Im Kontext der Ausstellung *Happiness Runs* mit fünf aktuelleren Teppicharbeiten kann *Rainbow Nirvana Houndstooth* als Startpunkt eines neuen Narrativs in Apfelbaums Œuvre gelesen werden.

Rainbow Nirvana Houndstooth (2012) is Polly Apfelbaum's oldest rug ensemble in the *Happiness Runs* show at Belvedere 21. The two-part installation was originally created for a group exhibition by the Dior fashion house at the Grand Palais in Paris. As one of fifteen contemporary international women artists invited to show their work, Apfelbaum developed her own contribution based on fashion and the perfume "Miss Dior."

The artist first used rugs as artistic material in 1996, as part of the show *Woven in Oaxaca*. For the Dior show, she returned to this medium, which straddles the borders between art, everyday objects, arts and crafts, and design. Apfelbaum has been interested in the permeability of art and life since her artistic beginnings. In retrospect, it makes sense that rugs found their way into Apfelbaum's art. The floor and the display area of her "fallen paintings," as well as the use of textile materials, have been characteristic of her work since the 1990s.

For *Rainbow Nirvana Houndstooth*, Apfelbaum samples a rainbow monoprint from 2011 with Dior's typical houndstooth pattern. This pattern, originally from Scotland and used for men's clothing there, is associated with the French fashion house of Dior. In February 1947, Christian Dior celebrated his breakthrough as a fashion designer with a legendary fashion show. The "New Look" introduced a revolutionary new language of form and an emphasis on the female body into postwar European fashion. The houndstooth pattern was used in women's clothing for the first time. It is still considered Dior's trademark.

Patterns, symbols, and colors recur in Apfelbaum's work, as does an engagement with their effect and history. But what was new starting with *Rainbow Nirvana Houndstooth* was the continual integration of rugs into her art. This work provided the basis for Apfelbaum's other rug installations, created in cooperation with weavers in Oaxaca, Mexico. The rug material enabled the artist to involve observers directly: standing on the rug, they become part of the work. In the context of the exhibition *Happiness Runs* with five of her latest rug works, *Rainbow Nirvana Houndstooth* can be read as the beginning of a new narrative in Apfelbaum's oeuvre.

Handgefärbte Wolle in Oaxaca, MX ——
Hand-dyed wool in Oaxaca, MX

Detail von —— of
Rainbow Nirvana
Houndstooth, 2012

2014

Evergreen Blueshoes

Evergreen Blueshoes in *3 Graces*,
Everson Museum of Art, Syracuse, NY, 2015

Farbe – im Speziellen die Farbe Grün – und die künstlerische Auseinandersetzung mit ihr sind das Thema von *Evergreen Blueshoes*. Polly Apfelbaums Werk kreist um Fragestellungen wie: Welche Atmosphäre erzeugen monochromatische Teppiche im Raum? Wie verändert sich Farbe durch unterschiedliche Lichtsituationen? Hat Farbe einen Einfluss auf Stimmungen und Emotionen der Menschen?

Polly Apfelbaum kreiert aus vier großformatigen Teppichen in unterschiedlichen Grüntönen ein situatives Umfeld, das zum Verweilen und zum Teilhaben einlädt. Die begehbaren Arbeiten schaffen soziale und kommunikative Aufenthaltsorte im Ausstellungsraum. Ob sie darauf stehen, sitzen oder liegen, Apfelbaum fordert von den Besucherinnen und Besuchern, gewohnte Rezeptionsmodi zu verlassen und Kunst aus einer neuen Perspektive zu erfahren.

Bei der Konzeption von *Evergreen Blueshoes* ließ sich die Künstlerin von der Musik einer in Vergessenheit geratenen Hippieband, von persönlichen Kindheitserinnerungen an Ferien im Grünen, vom Interesse an alternativen Lebensentwürfen und vom Glauben an die Kraft der puren Farbe inspirieren.

Der Titel des Werks bezieht sich auf eine 1967 gegründete und bereits zwei Jahre später wieder aufgelöste Hippie-Rockband, auf die Apfelbaum im Zuge ihrer Recherchen für die Arbeit gestoßen war. Das Cover der Platte *The Ballad of Evergreen Blueshoes* zieren nackte Menschen, die umgeben von Natur im Reigen tanzen. Musik und Cover bilden retrospektiv gesehen schon fast überzeichnet das Lebensgefühl der 1960er-Jahre ab. Eine Zeit, die getragen war von gesellschaftlichen Umbrüchen, sozialen und sexuellen Revolten, vom Streben nach Freiheit und von der Suche nach individueller Lebensgestaltung. Apfelbaum übernimmt den Bandnamen Evergreen Blueshoes für ihre Teppichinstallation – nicht als erklärendes Element, sondern assoziativ als weitere Grünnuance gedacht. Autobiografisch verknüpft die Künstlerin das Werk mit Ferienaufenthalten in ihrer Kindheit in einem Jugendcamp in Vermont. Mittels vier blauer Schuhabdrücke – einer pro Teppich – ist sie selbst als Autorin präsent und schreibt sich in die Arbeit ein. Die Fähigkeit, sich einem Thema behutsam von unterschiedlichen Seiten zu nähern und Querverbindungen zu erschließen, ist charakteristisch für Apfelbaums Arbeitsweise. Die Künstlerin verknüpft stets unterschiedliche Ebenen von Gedanken und Erzählsträngen und setzt diese Bestandteile zu neuen, eigenständigen Werken zusammen. Polly Apfelbaums Arbeiten bewegen sich somit an der Grenze zwischen Abstraktion und Narration, verweigern sich jedoch einer endgültigen Zuschreibung.

Color, especially the color green, and the artistic examination of it, are the theme of *Evergreen Blueshoes*. Polly Apfelbaum's work focuses on questions such as: What sort of atmosphere do monochromatic rugs generate in a room? How does color change in different types of light? Does color have an influence on human moods and emotions?

Polly Apfelbaum creates a situational environment from four large-format rugs in different shades of green, which invite the viewer to linger and partake. The works, which can be walked on, create social, communicative places in the exhibition space. Whether they stand, sit, or lie on them, Apfelbaum asks the observers to leave behind the usual ways of seeing art and to experience it from a new perspective. For the conception of *Evergreen Blueshoes* the artist took inspiration from the music of a long-forgotten hippy band, personal memories from childhood of vacations out in nature, an interest in alternative lifestyles, and belief in the power of pure color.

The title of the work refers to a short-lived rock band that was founded in 1967 and broke up only two years later, a band which Apfelbaum came across in the process of her research for this work. The cover of the record *The Ballad of Evergreen Blueshoes* is a photo of naked people dancing in a circle surrounded by nature. In retrospect, the music and the cover are almost a caricature of life in the 1960s: a time of upheaval, social and sexual revolts, of struggles for freedom, and a search for individual ideas of how to live. Apfelbaum uses the band name Evergreen Blueshoes for her rug installation—not as a discriptive element, but rather in an associative way, conceived of as a further nuance of green. She links the work autobiographically with the vacations of her childhood at a youth camp in Vermont. By means of blue shoe prints—one for each rug—she is herself present as the author and inscribes herself in her work. It is characteristic of Apfelbaum's working style to be able to approach a theme cautiously from different sides and develop interconnections. The artist joins together ever-diverse layers of thought and story strands and assembles these components into new, original works. In this way, Polly Apfelbaum's works range along the border between abstraction and narration, yet refuse any definitive categorization.

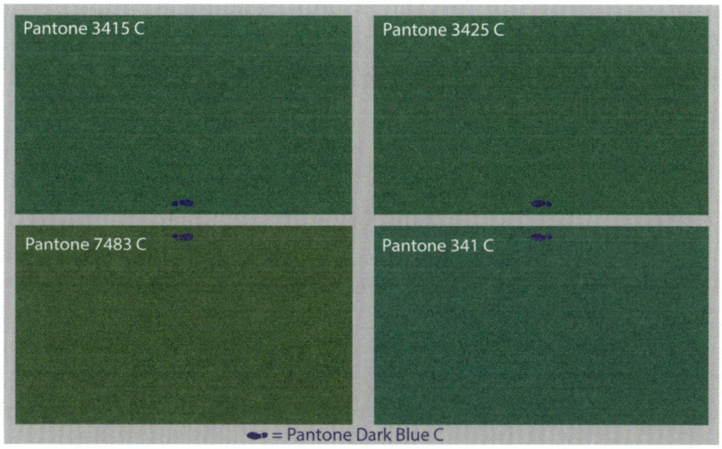

Entwurf für *Evergreen Blueshoes*, Farbcodes für die Webwerkstatt ———
Plan of *Evergreen Blueshoes*, detailing colors for weavers

Evergreen Blueshoes in *3 Graces*,
Everson Museum of Art, Syracuse, NY, 2015

Evergreen Blueshoes in ——— at Burlington City Arts,
Burlington, VT, 2014

Handgefärbte Wolle in Oaxaca, MX ———
Hand-dyed wool in Oaxaca, MX

Evergreen Blueshoes in ——— at Burlington City Arts,
Burlington, VT, 2014

2015

Deep Purple, Red Shoes

Deep Purple, Red Shoes II in *Deep Purple, Red Shoes*,
Be-Part, Waregem, BE, 2015; einer von drei Räumen der Installation
——— one of three rooms in the installation

Deep Purple, Red Shoes ist eine umfangreiche mehrteilige Installation, die 2015 erstmals in Be-Part – Plattform für zeitgenössische Kunst in Waregem, Belgien, auf mehrere Ausstellungsflächen verteilt präsentiert wurde. Die drei Teppichensembles leuchten in den Farben Violett, Blau, Purpur und Rot, die in weichen Übergängen ineinander übergehen. Auf allen raumfüllenden Installationen wiederholt sich das Motiv eines großen Kreises aus roten Schuhabdrücken. Die Farbigkeit und das künstlerische Thema sind verbindende Elemente, die das Gesamtwerk wie eine inhaltliche Klammer umspannen.

In der Ausstellung *Happiness Runs* im Belvedere 21 zeigt Polly Apfelbaum den zweiten Teil der Arbeit, bestehend aus 17 schmalen länglichen Einzelteilen, die in der richtigen Anordnung ebenso einen Kreis aus roten Schuhabdrücken ergeben.

Der Titel *Deep Purple, Red Shoes* fasst die zwei zentralen Charakteristika von Apfelbaums Werk in Worte: „Deep Purple" thematisiert den atmosphärischen Aspekt der Farbe, während sich „Red Shoes" dem Motiv widmet. Purpur, Violett, Blau und Rot sind konnotiert mit Macht, Spiritualität, Meditation, Kontemplation, Ruhe und Kraft und werden vor allem im sakralen Kontext symbolisch eingesetzt. Musikalisch ist „Deep Purple" mit der gleichnamigen englischen Hardrockband verknüpft. Die roten Fußabdrücke nehmen Bezug auf ein byzantinisches Mosaik in der Basilika Sant'Apollinare Nuovo in Ravenna, das Polly Apfelbaum während ihres einjährigen Italienaufenthalts mehrmals besucht hat. Die Künstlerin übersetzt die Stimmung des heiligen Ortes in strahlende Farben und transferiert mit der Arbeit *Deep Purple, Red Shoes* die sakrale Aura des Mosaiks von Sant'Apollinare Nuovo in den zeitgenössischen – säkularen – Ausstellungsraum. Konkret verweisen die Teppiche auf das Mosaik mit der Darstellung der Prozession der Jungfrauen. 22 edel gekleidete, mit weißen Schleiern und prächtigem Schmuck ausstaffierte Frauen schreiten hinter den Heiligen Drei Königen auf die ikonenhaft dargestellte Muttergottes mit dem Jesuskind zu. In den Händen halten sie als Attribute ihre reich verzierten Märtyrerkronen. Unter den langen Gewändern der Heiligen blitzen rote Schuhe hervor. Dieses Detail greift Apfelbaum auf, wandelt es ab und integriert es in Form von roten Schuhabdrücken in ihre Arbeit. *Deep Purple, Red Shoes* ist Apfelbaums Ausgangspunkt für die wiederholte Beschäftigung mit dem Sujet der Fußspuren, das sich in den folgenden Teppichwerken in unterschiedlichen Kontexten fortsetzt. Symbolisch sind Spuren mit Erinnerung und Vergangenheit assoziiert, formal verdeutlichen sie die Funktion und die Verwendung des Mediums Teppich.

Deep Purple, Red Shoes is an extensive multipart installation first presented in 2015 at Be-Part: Platform for Contemporary Art in Waregem, Belgium, and distributed across multiple exhibition spaces. The three groups of rugs are made with vibrant violet, blue, purple, and red colors, which merge into one another through gentle transitions. Imprinted on each of the installations that fill the rooms is a repeated motif of a large circle formed from red shoe prints. The rich colors and the artistic theme are connective elements representing a bracket around the work as a whole.

As part of the exhibition *Happiness Runs* at Belvedere 21, Polly Apfelbaum shows us the second part of the work, which consists of seventeen narrow, elongated, individual parts, which can also be arranged to produce a circle of red shoe prints.

The title *Deep Purple, Red Shoes* puts the two central characteristics of Apfelbaum's work into words: "Deep Purple" explores the atmospheric aspect of color, while "Red Shoes" concerns itself with the motif. Purple, violet, blue, and red imply power, spirituality, meditation, contemplation, rest, and strength, and are used especially in sacred contexts. In a music context, the name "Deep Purple" is linked with the English rock band of the same name. The red footprints are related to a Byzantine mosaic in the Basilica of Sant'Apollinare Nuovo in Ravenna, which Polly Apfelbaum visited numerous times during her year-long stay in Italy. With *Deep Purple, Red Shoes*, the artist translates a sense of the holy place into gleaming colors and transfers the sacred aura of the mosaic from Sant'Apollinare Nuovo into the contemporary—secular—exhibition space. The rugs reference the mosaic's representation of the procession of the virgins in a concrete way. Twenty-two nobly dressed women wearing white veils and magnificent jewelry walk behind the Three Kings toward the Mother of God, who is represented in the manner of an icon with the child Jesus. In their hands they hold their richly ornamented martyr's crowns as an attribute. Under the long robes of these saints, red shoes blaze forth. Apfelbaum takes up this detail, modifies it, and integrates it into her work in the form of red shoe prints. *Deep Purple, Red Shoes* is Apfelbaum's point of departure for a renewed engagement with the subject of footprints, which continue to appear in her later rug works in various contexts. Tracks are symbolically associated with memory and the past, and they illustrate formally the function and use of the rug medium.

Webearbeit in Oaxaca, MX
——— Weaving process in Oaxaca, MX

Deep Purple, Red Shoes II
bei der ——— at Art Unlimited, Basel, CH, 2018

Handgefärbte Wolle in Oaxaca, MX ——— Hand-dyed wool in Oaxaca, MX

Plakat für *Deep Purple, Red Shoes*, Be-Part, Waregem, BE, 2015, Gestaltung: Studio Jurgen Maelfeyt ——— Poster for *Deep Purple, Red Shoes*, Be-Part, Waregem, BE, 2015, designed by Studio Jurgen Maelfeyt

Details von *Deep Purple, Red Shoes II* in *Deep Purple, Red Shoes*, Be-Part, Waregem, BE, 2015, für den Ausstellungskatalog, Gestaltung: Studio Luc Derycke ——— Detail of *Deep Purple, Red Shoes II*, in *Deep Purple, Red Shoes*, Be-Part, Waregem, BE, 2015, for the exhibition catalogue, designed by Studio Luc Derycke

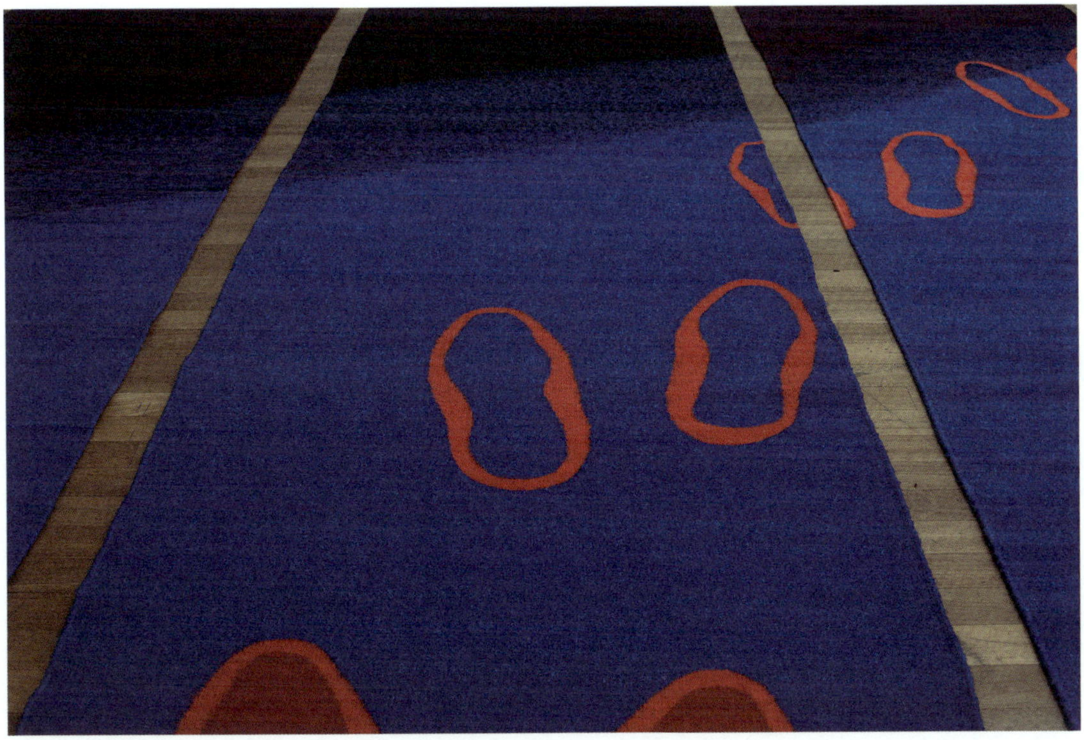

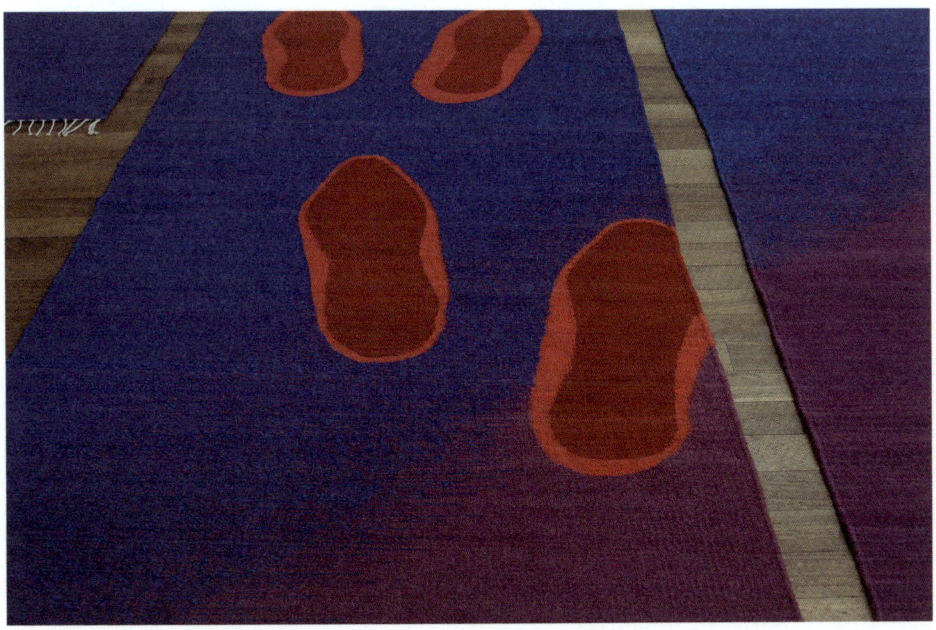

2016

FACE (GEOMETRY) (NAKED) EYES

Face (Geometry) (Naked) Eyes, kuratiert von ——— curated by Kate McNamara, Ben Maltz Gallery, Otis College of Arts and Design, Los Angeles, CA, 2016

Als Trägerin des Joseph H. Hazen Rome Prize in Visual Arts kam Polly Apfelbaum während eines einjährigen Italienaufenthalts (2012/13) in Berührung mit dem romanischen Mosaik in der Kathedrale von Otranto in Apulien. Der von einem Priester namens Pantaleon im 12. Jahrhundert entworfene kirchenbodenbedeckende Lebensbaum inspirierte die Künstlerin. Aus den Ästen des Baumes erwachsen Geschichten von Fabeltieren, griechischen Festen, biblischen Erzählungen, germanischen und griechischen Göttern wie auch mittelalterliche Alltagsszenen. Ein Versuch, die Welt in all ihren Facetten umfassend zu begreifen und abzubilden. Der Baum als weltordnendes Prinzip vermittelt die Botschaft, dass divergierende Weltanschauungen und Erklärungsmodelle letztlich alle ein und derselben Wurzel entstammen. Dieser inkludierende Ansatz und die Suche nach Universalität bei Religionen und Kulturen finden sich auch im gegenwärtigen Diskurs alternativer religiöser und esoterischer Bewegungen wieder.

Für ihre Ausstellung in der Ben Maltz Gallery in Los Angeles griff Polly Apfelbaum dieses Thema in ihrem Werk *Face (Geometry) (Naked) Eyes* auf. Los Angeles wurde nicht zufällig als Präsentationsort gewählt, denn gerade hier erfreuen sich New Ageism und die Suche nach neuer Spiritualität seit den 1960er-Jahren großer Beliebtheit. Daran anknüpfend reflektiert Apfelbaum historische Bezugspunkte und interpretiert diese im zeitgenössischen Kontext. Apfelbaums Arbeit *Face (Geometry) (Naked) Eyes*, bestehend aus vier großen, strahlend gelben Teppichen, auf denen sich je ein weißes Oval mit einem roten Punkt befindet, lässt intuitiv an symbolische, überirdische Augen denken. Ergänzt wird die Installation von handgefertigten rot glacierten Keramikperlen, die zweireihig von der Decke abgehängt sind. In Kombination mit den Bodenarbeiten nehmen sie Bezug auf die Architektur, strukturieren den Raum und verleihen dem Werk eine sakrale Aura.

Die Installation ist so wie jede von Apfelbaums Teppicharbeiten in der Ausstellung *Happiness Runs* begeh- und erlebbar. Die Künstlerin reduziert die Distanz zwischen Kunst und Betrachterinnen und Betrachtern auf ein Minimum und ermöglicht somit ein unmittelbares Eintauchen in die gewebten Farbfelder.

Polly Apfelbaum studierte Malerei an der Tyler School of Art, Elkins Park, Pennsylvania, und am Purchase College der State University of New York. Geprägt vom Abstrakten Expressionismus und vom Color-Field Painting experimentiert die Künstlerin stets mit Materialien und lässt mit ihrem Bekenntnis zu Farbe und abstrakten Formen klassische Bildträger hinter sich. An deren Stelle treten Textilien in Form von Samt, Stoffen, Teppichen, aber auch andere Materialien, die mit weiblichem Handwerk konnotiert sind, etwa Keramik, finden bei Apfelbaum Verwendung.

As winner of the Joseph H. Hazen Rome Prize in Visual Arts, Polly Apfelbaum encountered the Romanesque mosaic in the Cathedral of Otranto in Apulia during a year-long stay in Italy (2012/13). The tree of life covering the floor, designed by a priest named Pantaleon in the 12th century, inspired the artist. From the branches of the tree spring forth stories of mythical creatures, Greek festivals, biblical narratives, Germanic and Greek gods, and everyday scenes of medieval life: an attempt to conceive and portray the whole world in all its facets. The tree as world-ordering principle communicates the message that diverging worldviews and explanatory models ultimately all come from the same root. This inclusive approach, and the search for universality in religions and cultures, can also be found in the present discourse of alternative religious and esoteric movements.

For her exhibition in the Ben Maltz Gallery in Los Angeles, Polly Apfelbaum took up this theme in her work *Face (Geometry) (Naked) Eyes*. It was no coincidence that Los Angeles was chosen for the presentation; the New Age movement and the search for new spirituality have enjoyed enormous popularity there since the 1960s. Apfelbaum's work ties into this by reflecting historical reference points and interpreting them in a contemporary context. Her work *Face (Geometry) (Naked) Eyes*, which consists of four large, bright yellow rugs with a white oval and a red dot on each, intuitively reminds us of symbolic, supernatural eyes. The installation is supplemented by hand-made, red-glazed ceramic beads hanging from the ceiling in two rows. In combination with the floor works, they make reference to the architecture, structure the space, and give the work a sacred aura.

As with all of Apfelbaum's rug works in the *Happiness Runs* exhibition, this one can be walked on and experienced. The artist reduces the distance between art and observers to a minimum, allowing them to immerse themselves in the woven color fields.

Polly Apfelbaum studied painting at the Tyler School of Art, Elkins Park, Pennsylvania, and at Purchase College of the State University of New York. Influenced by Abstract Expressionism and Color Field Painting, the artist is always experimenting with materials. Her commitment to color and abstract forms allows her to leave traditional image carriers behind. In their place she puts textiles in the form of velvet, fabrics, and rugs; but other materials associated with women's crafts, such as ceramic, are also used in Apfelbaum's work.

Face (Geometry) (Naked) Eyes, kuratiert von —— curated by Kate McNamara, Ben Maltz Gallery, Otis College of Arts and Design, Los Angeles, CA, 2016

S. 97–99 —— pp. 97–99

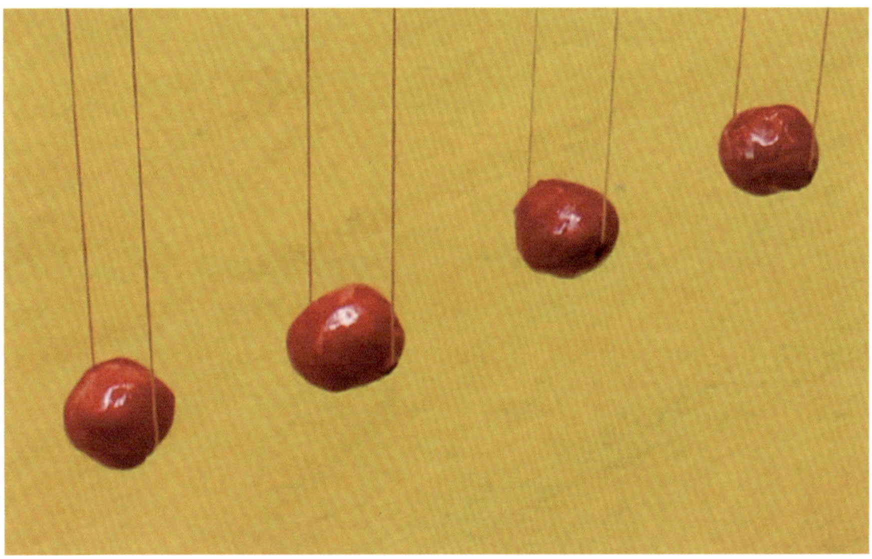

Face (Geometry) (Naked) Eyes, kuratiert von —— curated by Kate McNamara, Ben Maltz Gallery, Otis College of Arts and Design, Los Angeles, CA, 2016

Plakat für —— Poster for *Face (Geometry) (Naked) Eyes* von Polly Apfelbaum

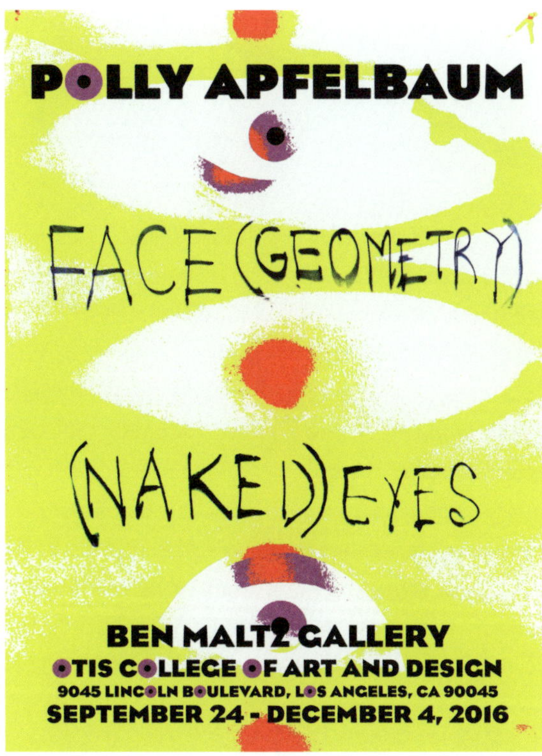
POLLY APFELBAUM
FACE (GEOMETRY)
(NAKED) EYES
BEN MALTZ GALLERY
OTIS COLLEGE OF ART AND DESIGN
9045 LINCOLN BOULEVARD, LOS ANGELES, CA 90045
SEPTEMBER 24 - DECEMBER 4, 2016

2016

Dubuffet's Feet

Dubuffet's Feet in *Dubuffet's Feet My Hands*,
Frith Street Gallery, London, UK

In *Dubuffet's Feet* rezipiert Polly Apfelbaum Jean Dubuffet. Der französische Künstler der Zweiten Avantgarde formulierte nach dem Ende des Zweiten Weltkriegs ein radikal neues Kunstverständnis in Europa. Er verwarf herkömmliche Klassifizierungen und akademische Kunstauffassungen und suchte nach der Erneuerung der Kunst. In der autodidaktischen Kunst von Menschen mit psychischen Erkrankungen und Kindern erkannte er die Qualität einer unverbildeten, intuitiven Sicht auf die Welt und proklamierte dafür die Bezeichnung „Art brut", die auch sein eigenes künstlerisches Œuvre prägte. Apfelbaums Interesse an Art brut oder Outsider Art ist ebenso begründet im unmittelbaren Ausdruck und im Aufbrechen der Grenzen des kanonisierten Kunstbegriffs, den sie selbst mit ihrer Kunst zu erweitern sucht.

Dubuffet's Feet nimmt Bezug auf die kleinformatige Zeichnung *Footprints in the Sand* von Jean Dubuffet, die Teil des Skizzenbuchs *El Golea II* aus dem Jahr 1948 ist. *El Golea II* dokumentiert den zweiten Algerienaufenthalt des Künstlers und gibt Eindrücke vom Leben in der Wüste wieder. Die Grafiken zeigen Beduinen, Dromedare, Antilopen und Palmen. Das Blatt *Footprints in the Sand* skizziert Spuren im Sand, die in alle Himmelsrichtungen laufen. Apfelbaum zitiert mit ihrer Installation diese Vorlage. Die Künstlerin greift Dubuffets Zeichnung auf, löst vier einzelne Abdrücke heraus, vergrößert sie überdimensional und lässt sie von mexikanischen Webern in Teppiche übertragen. Durch den Titel werden anonyme Abdrücke zu Dubuffets Fußspuren, wie von einem Riesen in die nasse Erde gedrückt. Auch wenn die gedeckten Erdtöne der Teppiche fast ungewöhnlich für Apfelbaums Umgang mit Farbe scheinen, so nehmen sie inhaltlich Bezug auf die Malmittel der Art brut, bspw. Lehm, Erde, Steine, Sand und Kohle. Bei der Präsentation in der Frith Street Gallery im Jahr 2017 trat Apfelbaum in einen direkten Dialog mit Dubuffets Kunst und stellte den überdimensionalen Fußabdrücken der Teppiche ihre eigenen Hände in Form von 97 Paaren in Keramik gegenüber.

Dem Schaffen von Polly Apfelbaum ist die Reflexion kunsthistorischer Bezüge stets inhärent. Die Auseinandersetzung mit künstlerischen Vorbildern wie u.a. Gene Davis, Morris Louis, Andy Warhol oder die Beschäftigung mit stilistischen Einflüssen wie Color-Field-Malerei, Pop Art, abstrakter Expressionismus und Minimal Art sind manchmal offensichtlich und manchmal nur versteckt wahrnehmbar. Ausgehend vom Ansatz der Appropriation Art reproduziert, kommentiert, interpretiert, kondensiert und kontextualisiert Polly Apfelbaum kunsthistorische Referenzen und lässt auf diesem Weg ein neues, eigenständiges Werk entstehen.

In *Dubuffet's Feet*, Polly Apfelbaum incorporates Jean Dubuffet into her rug installation. After the end of World War II, this French artist of the second avant-garde formulated a radically new understanding of art in Europe. He threw out conventional classifications and academic conceptions and tried to bring about a modernization of art. In the autodidactic art of people with mental illness and children he recognized a quality, an unspoiled, intuitive vision of the world, and proclaimed for this quality the name *Art Brut* which also shaped his own artistic oeuvre. Apfelbaum's interest in *Art Brut* or Outsider Art is also founded in unmediated expression and in prying open the boundaries of canonical concepts of art, which she then attempts to enlarge with her art.

Dubuffet's Feet makes reference to a small drawing by Dubuffet, *Footprints in the Sand*, which was found in his sketchbook *El Golea II* from 1948. *El Golea II* documents the artist's second visit to Algeria and it depicts impressions of desert life. His drawings show Bedouins, camels, antelope, and palm trees. The page *Footprints in the Sand* is a sketch of footprints in the sand heading in all directions. In her installation, Apfelbaum quotes this original. The artist takes Dubuffet's sketch and excavates four single footprints from it, enlarging them colossally; she then works with Mexican weavers to convert these footprints into rugs. Through the title these anonymous tracks are transformed into Dubuffet's own footprints, as if pressed into the wet earth by a giant. Although these muted earth tones in the rugs appear unusual when compared with Apfelbaum's typical use of color, they make reference to the print materials of *Art Brut*, e.g. loam, earth, stone, sand, and charcoal. With the presentation in the Frith Street Gallery in 2017, Apfelbaum entered into a direct dialogue with Dubuffet's art and juxtaposed her own hands to the giant footprints of the rug, in the form of ninety-seven pairs, formed in ceramic.

Intrinsic to Polly Apfelbaum's creations is a constant reflection on art-historical references. The discussion carried on in this work with such artistic role models as Gene Davis, Morris Louis, Andy Warhol, and her engagement—sometimes plain and sometimes hidden—with stylistic influences like Color Field painting, Pop Art, Abstract Expressionism, and Minimalism, are noticeable. Coming from the approach of Appropriation Art, Polly Apfelbaum reproduces, comments upon, interprets, and condenses references to the history of art, and in this way she generates a new original work.

Dubuffet's Feet in *Dubuffet's Feet My Hands*,
Frith Street Gallery, London, UK

Dubuffet's Feet in *Dubuffet's Feet My Hands*,
Frith Street Gallery, London, UK

Plakat für —— Poster for *Dubuffet's Feet My Hands*,
Frith Street Gallery, London, UK

2017

THE POTENTIAL OF WOMEN

The Potential of Women,
Alexander Gray Associates, New York, NY, 2017

1963 fand am University of California San Francisco Medical Center das Symposium *Man and Civilization* zum Thema *The Potential of Woman* statt. Im Rahmen der interdisziplinären Konferenz diskutierten 34 Vertreterinnen und Vertreter, die Mehrzahl Männer, aus den wissenschaftlichen Disziplinen Psychologie, Medizin, Geschichte und Philosophie über die Emanzipation der Frau. Begleitend zur Tagung erschien eine gleichnamige dokumentarische Publikation. Das Cover zierte eine Illustration des amerikanischen Grafikdesigners Rudolph de Harak. In den Textbeiträgen wurden u. a. die biologischen und psychologischen Voraussetzungen von Frauen, Rollenmodelle und Veränderungen der Geschlechterbilder thematisiert. Frauen als akademische Forschungsobjekte und nicht der emanzipatorische Prozess standen im Zentrum des Diskurses. Resultate der Konferenz waren einseitige Beiträge, die an den aktuellen Themen und Forderungen des Feminismus und der erstarkenden Emanzipation der 1960er-Jahre vorbeigingen.

Mehr als fünfzig Jahre nach Erscheinen jener Publikation rezipiert Polly Apfelbaum sowohl das grafische Sujetbild Rudolph de Haraks als auch den Titel. Apfelbaums begehbare Teppichinstallation ist ein künstlerisch kommentiertes Zitat und eine feministische Dekonstruktion von *The Potential of Woman*. Das Motiv ist für sie Ausgangspunkt, das Thema Gleichstellung in seiner historischen und gegenwärtigen Dimension zu beleuchten, welches mehr als ein halbes Jahrhundert nach Erscheinen des Buches gesellschaftlich noch immer diskutiert wird. Apfelbaum setzt das Wort „Frau“ aus dem Buchtitel in den Plural – aus einem Individuum wird eine Gruppe: *Das Potenzial der Frauen*. Diese sprachliche Veränderung zieht auch eine inhaltliche nach sich. Durchsetzungskraft und Handlungsfähigkeit werden mit einem Kollektiv assoziiert – diesem wohnt eine gemeinsame Kraft inne, aus der heraus sich Gegebenheiten verändern und gestalten lassen. Motivisch übernimmt die Künstlerin den stilisierten Frauenkopf von de Harak, vergrößert ihn und transferiert ihn auf ein textiles Medium. Vier idente Teppiche zeigen die Frontalansicht des abstrahierten weiblichen Kopfs mit schwarzer Bobfrisur in Orange und Pink gehalten vor einem hellbraunen Hintergrund. Mittels Vervierfachung und Vergrößerung bewirkt sie eine starke Präsenz des Motivs im Raum. Die Köpfe scheinen, trotz des fehlenden Mundes, mit den Betrachterinnen und Betrachtern eindringlich zu kommunizieren. Apfelbaum vergleicht deren Wirkung für ihr Werk mit der kommentierenden Aufgabe eines griechischen Chors in der antiken Tragödie. In ihrer Arbeit, die sie erstmals 2017 in der Galerie Alexander Gray Associates in New York zeigte, nutzt die Künstlerin subtile Gesten, um die Botschaften von *The Potential of Woman* ins Gegenteil zu verkehren.

In 1963 the University of California San Francisco Medical Center hosted the *Man and Civilization* symposium on the topic of *The Potential of Woman*. In the context of this interdisciplinary conference, thirty-four mostly male representatives of the academic disciplines of psychology, medicine, history, and philosophy discussed women's emancipation. The conference was accompanied by a documentary publication of the same name. An illustration by American graphic designer Rudolph de Harak graced the cover. The written contributions dealt with such topics as the biological and psychological needs of women, role models, and changes to concepts of gender. The discourse centered on women as objects of academic research rather than the process of emancipation. The results of the conference were therefore one-sided contributions that neglected contemporary issues, feminist demands, and the emancipation movement that was gaining strength in the 1960s.

More than fifty years after that publication appeared, Polly Apfelbaum is adapting both Rudolph de Harak's graphic illustration and the title. Apfelbaum's walk-on-able rug installation is a quotation with artistic commentary and a feminist deconstruction of *The Potential of Woman*. The motif is a starting point for illuminating the topic of equality in its historical and contemporary dimensions, a topic which is still being discussed half a century after the book appeared. Apfelbaum makes the word "woman" from the book title plural, changing the individual to a group: *The Potential of Women*. This linguistic change also creates a change in content. Self-assertion and agency are associated with a collective; a common power is inherent in it, from which given conditions can be changed and shaped. As a motif, the artist takes de Harak's stylized woman's head, enlarges it and transfers it to a textile medium. Four identical rugs show the frontal view of the abstract female head with a black bob haircut in orange and pink in front of a light brown background. Multiplying it by four and enlarging it gives the motif a strong presence in the space. The heads seem, despite the missing mouth, to communicate forcefully with the observers. Apfelbaum compares their effect on her work with the commentator role of a Greek choir in ancient tragedy. In her work, which she first showed at the gallery Alexander Gray Associates in New York in 2017, the artist uses subtle gestures to turn the messages of *The Potential of Woman* into their opposite.

The Potential of Women,
Alexander Gray Associates, New York, NY, 2017

Buchcover *The Potential of Woman*, 1963, Umschlaggestaltung von Rudolph de Harak ——— Cover of the book *The Potential of Woman*, 1963, cover design by Rudolph de Harak

Webearbeit in Oaxaca, MX ——— Weaving process in Oaxaca, MX

Detail von *The Potential of Women*, Zeichnungen, Gouache auf Papier, Alexander Gray Associates, New York, NY, 2017 ——— Detail of *The Potential of Women*, drawings, gouache on paper, Alexander Gray Associates, New York, NY, 2017

Plakat für ——— Poster for *The Potential of Women*, Polly Apfelbaum

The Potential of Women,
Alexander Gray Associates, New York, NY, 2017

LIST OF WORKS
—— WERKLISTE

POLLY APFELBAUM
Rainbow Nirvana Houndstooth, 2012
Handgefärbte und handgewebte Wolle ——
Hand-dyed and hand-woven wool
2 Teppiche —— 2 rugs: 548,64 × 624,84 cm
(gesamt —— in total)
Courtesy of the artist & Frith Street Gallery, London

POLLY APFELBAUM
Evergreen Blueshoes, 2014
Handgefärbte und handgewebte Wolle ——
Hand-dyed and hand-woven wool
4 Teppiche —— 4 rugs: je —— each
274,32 × 457,20 cm, Quaste —— Tassel: 15,24 cm
Courtesy of the artist & Frith Street Gallery, London

POLLY APFELBAUM
Deep Purple, Red Shoes, 2015
Handgefärbte und handgewebte Wolle ——
Hand-dyed and hand-woven wool
17 Teppiche —— 17 rugs: 118,3 × 85 cm, 476 × 85 cm, 832,3 × 85 cm, 960,6 × 85 cm, 960,6 × 85 cm, 960,6 × 85 cm, 960,6 × 85 cm, 960,6 × 85 cm, 960,6 × 85 cm, 927,8 × 85 cm, 825,2 × 85 cm, 313 × 85 cm, 367,2 × 85 cm, 617,2 × 85 cm, 469 × 85 cm, 315 × 85 cm, 148 × 85 cm
Courtesy of the artist & Frith Street Gallery, London

POLLY APFELBAUM
Face (Geometry) (Naked) Eyes, 2016
Handgefärbte und handgewebte Wolle ——
Hand-dyed and hand-woven wool
4 Teppiche —— 4 rugs: je —— each
396,24 × 762 cm
Courtesy of the artist & Galerie nächst St. Stephan Rosemarie Schwarzwälder, Wien

POLLY APFELBAUM
Dubuffet's Feet, 2016
Handgefärbte und handgewebte Wolle ——
Hand-dyed and hand-woven wool
4 Teppiche —— 4 rugs:
350,52 × 365,76 cm, 1036,32 × 259,08 cm, 731,5 × 243,8 cm, 777,24 × 243,8 cm
Courtesy of the artist & Frith Street Gallery, London

POLLY APFELBAUM
The Potential of Women, 2017
Handgefärbte und handgewebte Wolle ——
Hand-dyed and hand-woven wool
4 Teppiche —— 4 rugs: je —— each
335,28 × 335,28 cm
Courtesy of the artist & Alexander Gray Associates, New York

Pathways to Unknown Worlds[1]

Bob Nickas

When an artist has been at work for thirty years, we can almost effortlessly trace the various paths taken, where they led, often unexpectedly, and sometimes also see how she managed to alternately move forward and circle back, exploring new ground by retracing her steps. Maybe artists proceed by, and not in spite of, what can be thought of as a purposeful circularity, turning ideas over in their minds, materializing them, taking them apart, to be reassembled in different configurations, setting aside ideas to which they return at a later point in time. This point eventually arrives as the present, although the here and now is where the artist always resides, patiently restless for whatever happens next, at times making it so. We live there, too, but our present, in contrast, is a moment held in suspension—the artwork before us—or already passed, its image imprinted on the wall or the page, as with this book you hold in your hands. An artist and those who engage with what they've done, with their history, inhabit the same space and breathe the same air, rarefied or not. But when we encounter new work we see where the artist was, and are given clues to where they may be headed. The art is always present. The artist—footprints in the sand—has already moved on.

As we look back on what an artist has accomplished, observing early fits and starts, identifying a so-called breakthrough moment, and making connections between various sources, the pieces of the puzzle seem to all fall into place. But not so fast. Because even if the artist herself is able in retrospect to see what we have—an overview that may register with a detached amusement or some measure of discomfort—we acknowledge that across this span of time she was simply living her life, following her instincts, proceeding without a set plan, not knowing where these paths would lead. And if she's not done and doesn't necessarily believe in endpoints, in arriving at a final destination, the continuous puzzle expands, while new pieces assembled may not fit as neatly as we'd like, at least not in an instant. In this respect, three decades is and isn't a long time. The artist continually extends a process in which

1 The title of this essay is borrowed from an album by Sun Ra, attributed to His Astro Infinity Arkestra, recorded in Chicago in 1973, and released two years later. Sun Ra and his musicians were based in Philadelphia for many years, where they lived collectively in Germantown, in a house still maintained by his bandleader, Marshall Allen, and where many examples of Ra's visionary artworks are on display.

Bei einer seit dreißig Jahren tätigen Künstlerin lassen sich fast mühelos die verschiedenen Wege nachzeichnen, die sie eingeschlagen hat, und wohin sie diese – oft unerwarteterweise – geführt haben und manchmal auch wie sie mal vorgerückt ist, mal wieder kehrtgemacht hat, um beim nochmaligen Beschreiten des Weges neues Gelände zu erkunden. Vielleicht bewegen sich Kunstschaffende *mittels* und nicht *trotz* einer gleichsam absichtlichen Zirkularität voran: Ideen wälzend, ihnen materielle Gestalt verleihend, sie zerlegend, um sie in anderen Konstellationen neu zusammenzusetzen, manche davon aussondernd, um zu einem späteren Zeitpunkt zu ihnen zurückzukehren. Dieser Zeitpunkt tritt schließlich als Gegenwart ein, auch wenn Künstlerinnen und Künstler ständig im Hier und Jetzt leben, ruhelos darauf wartend, was als Nächstes kommt, und es bisweilen herbeiführend. Auch wir leben darin, nur ist unsere Gegenwart eine erstarrte; das Kunstwerk liegt vor oder bereits hinter uns, ein Abbild an der Wand oder in einem Buch wie dem, das Sie jetzt in Händen halten. Eine Künstlerin und die, die sich mit ihren Werken, ihrer Geschichte beschäftigen, bewohnen denselben Raum und atmen dieselbe Luft, und sei sie noch so dünn. Werden wir dagegen mit neuen Arbeiten konfrontiert, sehen wir, wo die Künstlerin einmal stand, und erhalten vielleicht Hinweise, wohin sie gerade geht. Die Kunst ist immer gegenwärtig. Die Künstlerin – Fußabdrücke im Sand – ist bereits weitergezogen.

Blickt man auf die Errungenschaften der Künstlerin zurück, ihre frühen, tastenden Versuche beobachtend, einen sogenannten Durchbruch erkennend, Verbindungen zwischen verschiedenen Quellen knüpfend, scheinen die Puzzlestücke alle ineinanderzugreifen. Aber gemach! Denn auch wenn die Künstlerin imstande ist, im Rückblick dasselbe zu sehen, was wir gesehen haben – ein Gesamtbild, das sie vielleicht mit distanziertem Amüsement oder einem gewissen Unbehagen betrachtet –, so ist uns doch klar, dass sie in diesem Zeitraum einfach nur ihr Leben gelebt hat, ihren Instinkten gefolgt ist, ohne vorgefassten Plan, ohne zu wissen, wohin diese Wege sie führen würden. Und wenn ihre Arbeit nicht abgeschlossen ist und sie nicht unbedingt an Endpunkte glaubt, an das Erreichen eines finalen Bestimmungsorts, dann wächst das Puzzle weiter, kommen neue Teile hinzu, die sich nicht so nahtlos einfügen, wie wir es gerne hätten, jedenfalls nicht sofort. So gesehen sind drei Jahrzehnte zugleich lang und doch nicht lang. Die Künstlerin setzt laufend einen Prozess fort, in dem sie auf Vorangegangenes aufbaut oder davon abweicht und auf kontinuierlicher Entwicklung beharrt, einer stetigen Verfeinerung und destillierenden Ausarbeitung, die es ihr

1 Der Titel dieses Aufsatzes ist einem 1973 in Chicago aufgenommenen und zwei Jahre später veröffentlichten Album von Sun Ra und seinem Astro Infinity Arkestra entlehnt. Sun Ra und seine Musiker lebten viele Jahre in Philadelphia, wo sie gemeinsam ein Haus in Germantown bewohnten, das vom heutigen Arkestra-Bandleader Marshall Allen immer noch erhalten wird und zahlreiche Beispiele von Ras visionärer Kunst beherbergt.

she builds upon and deviates from what came before, insists on it as unfolding, a matter of further refinement, of elaboration as distillation—allowing her to have it both ways, to pare down as well as to push for greater complexity. There is quiet and there is noise. Laughter can be heard softly in the distance. Volume will rise and fall.

Polly Apfelbaum has been exhibiting her work since 1986 and now appears to us in this entirely enviable position. She reminds us that we can see the ground under our feet only when we step back, and you can't step back while you're still in motion or, as with her preferred mode of working, perpetual motion. When pleasure continues to be derived from the activity, when there is still an element of surprise as new problems are welcomed and curiosity doesn't waver, with each new body of work there is a sense of continuity, of moving forward as starting over again. And even if an artist may only have one thing to say, which is true for many with long and coherently varied careers, in fine-tuning the means of expression, in responding to every show as an occasion to amplify experience, for both the viewer and for herself, a further articulation of one's work is unavoidable. With the accumulation of experience, serving simultaneously as foundation and jumping-off point, an artist speaks to the bigger picture of history and to other cultures by way of their personal history, where they're from and what made them, interweaving their own world and the universal. The artist walks among us and walks among giants, feet on the ground, head in the air, and takes us with them.

GULLIVER'S TRAVELS

First published in 1726, Jonathan Swift's *Gulliver's Travels* is widely known as the tale of an Englishman who sails off to adventure and finds himself shipwrecked on an island inhabited by people much tinier than himself, in Lilliput, where his body, stretched out on the ground and clambered upon, resembles a hilly, corporeal expanse. This is only the first of the book's four parts. On Gulliver's subsequent voyage, the tables are dramatically reversed and he ends up in a world where, in proportion to its inhabitants, he is the one who is greatly reduced in size fig. 1. No longer regarded as a danger but a curiosity, in each case he serves as a spectacle that comes to magnify the folly of human nature. This is another sort of Wonderland, one that still appears as pure dislocation, and where, as the song goes, "one pill makes you larger and one pill makes you small."[2]

With this lyrical observation in mind, the psychedelic aspect of *Gulliver's Travels* and *Alice's Adventures in Wonderland* connects these fantastic stories to artworks in which the shifting of scale towards an immersive situation allows the spectator to enter, to become a part of and animate the composition—such as with Gene Davis's monumental 1972 painting, *Franklin's Footpath* and Apfelbaum's corresponding installation, *For the Love of Gene Davis*, 2014.[3] Davis, one of the most famous Color Field painters to emerge in the 1960s, would transform, with approximately 400 gallons of paint

2 "White Rabbit," which overlaid the children's story of *Alice in Wonderland* with the heady culture of psychedelic drugs, was written by Grace Slick in 1966, first performed with the San Francisco group The Great Society; later and more famously by Jefferson Airplane.

3 *Franklin's Footpath*, was realized by Gene Davis in 1972, commissioned by the Philadelphia Museum of Art, and became widely known after it was reproduced in the June 16, 1972 issue of *Life* magazine. Apfelbaum's installation, *For the Love of Gene Davis*, was presented in 2014 at Temple Contemporary, Tyler School of Art, in Philadelphia, her alma mater. The exhibition was done in collaboration with Dan Cole, as part of a Tyler program pairing recent graduates with alumni as their mentors.

ermöglicht, in beide Richtungen gleichzeitig zu gehen, zu reduzieren und nach höherer Komplexität zu streben. Es herrscht Stille, und es herrscht Lärm. In der Ferne ist ein schwaches Lachen zu hören. Die Lautstärke wird zu- und abnehmen.

Polly Apfelbaum, die ihre Arbeiten seit 1986 ausstellt, scheint uns heute in dieser absolut beneidenswerten Position zu sein. Sie erinnert uns daran, dass wir den Boden unter unseren Füßen nur sehen können, wenn wir einen Schritt zurück machen, aber wir sind dazu nicht imstande, solange wir uns *noch* oder – wie sie selbst am liebsten arbeitet – *permanent* in Bewegung befinden. Solange die Tätigkeit weiter Vergnügen bereitet, solange es noch ein Überraschungsmoment gibt, neue Probleme begrüßt werden und die Neugierde nicht erlahmt, stellt sich mit jeder neuen Werkgruppe ein Gefühl der Kontinuität ein, eines Vorwärtsschreitens als Von-vorne-Anfangen. Und selbst wenn eine Künstlerin oder ein Künstler nur ein Thema hat, was auf viele mit langen und konsequent verfolgten Karrieren zutrifft, wird mit der Verfeinerung der Ausdrucksmittel, der Nutzung jeder Ausstellung als Gelegenheit zur Erfahrungserweiterung, für einen selbst wie für die Betrachtenden, das eigene Werk unvermeidlich fortgeschrieben. Mit der Anhäufung von Erfahrung, die zugleich als Grundlage und als Ausgangspunkt dient, spricht ein Künstler oder eine Künstlerin vermittels der persönlichen Geschichte, der eigenen Herkunft und Prägung, zur größeren Geschichte und zu anderen Kulturen, verwebt die eigene Welt mit der Welt im Allgemeinen. Wandelt zugleich unter uns und unter Riesen, Füße auf der Erde, Kopf in der Höhe, und nimmt uns mit.

GULLIVERS REISEN

Jonathan Swifts 1726 erschienenes Buch *Gullivers Reisen* verbinden die meisten mit der Geschichte eines englischen Abenteurers, der auf einer Insel strandet, deren Bewohner allesamt viel kleiner sind als er selbst: in Liliput, wo sein ausgestreckt auf dem Boden liegender, von den Liliputanern bestiegener Körper einer weiten Hügellandschaft gleicht. Das ist allerdings nur der erste von vier Teilen. Auf Gullivers nächster Reise sind die Verhältnisse auf den Kopf gestellt, landet er doch in einer Welt, in der er wesentlich kleiner ist als die Einheimischen Abb. 1. Nicht mehr als Gefahr, sondern als Kuriosität betrachtet, dient er in beiden Fällen als ein Spektakel, das die Torheit der menschlichen Natur vergrößert. Es ist ein anderes Wunderland, das ebenfalls als reine Verschiebung erscheint und in dem dich, wie es in dem bekannten Song heißt, „eine Pille größer macht und eine Pille klein"[2].

Der psychedelische Aspekt von *Gullivers Reisen* und *Alice im Wunderland*, auf den der Songtext verweist, verbindet diese fantastischen Geschichten mit Kunstwerken, in denen die Verschiebung der Größenverhältnisse eine immersive Situation schafft, in der die oder der Betrachtende zum Teil der Komposition wird und diese belebt – wie etwa in Gene Davis' monumentalem Gemälde *Franklin's Footpath* von 1972 und Apfelbaums darauf Bezug nehmender Installation *For the Love of Gene Davis* von 2014.[3] Davis,

2 Der 1966 von Grace Slick geschriebene Song *White Rabbit* verbindet die Kindergeschichte *Alice im Wunderland* mit der psychedelischen Drogenkultur. Ursprünglich für ihre San Franciscoer Band The Great Society entstanden, wurde er später mit Jefferson Airplane berühmt.

3 Gene Davis' *Franklin's Footpath* entstand 1971 im Auftrag des Philadelphia Museum of Art und erlangte allgemeine Bekanntheit, als es am 16. Juni 1972 im Magazin *Life* abgebildet wurde. Apfelbaums Installation *For the Love of Gene Davis* wurde 2014 bei Temple Contemporary an ihrer Alma Mater, der Tyler School of Art in Philadelphia, gezeigt. Die Ausstellung entstand in Zusammenarbeit mit Dan Cole im Rahmen eines Programms, das jüngere Absolventinnen und Absolventen mit Alumni als Mentoren zusammenspannte.

and a dozen miles of masking tape, a stretch of the Benjamin Franklin Parkway leading up to the Philadelphia Museum of Art into an enormous stripe painting more than 400 feet in length. He would, in effect, create a color field into which viewers could immerse themselves, as if he and the museum had unrolled a vast carpet, a welcome to visitors from its front steps. Over forty years later, and in the same city, Apfelbaum would honor Davis with an installation of four long, striped carpets and striped wallpaper that imagined his field brought indoors, as entirely situational, not only underfoot but wrapping around on all sides of the space. The stripes on the long walls were horizontal, to emphasize the sense of being inside an almost curving perspective, as well as suggesting speed and distance, while the stripes were vertically oriented on the room's end wall, in an electric, vibrant parallel to the museum's columns which rose at the end of Davis's line in the street.

In a photograph taken at the time, we see two little girls walking hand-in-hand along the Parkway, away from the museum fig. 2. The experience must certainly have stayed with them for some time, as perhaps other interactions with art—of the more common look-but-don't-touch kind—did not, and couldn't be expected to in any case. There is wonder here, eclipsing even the permission to stand on a metallic Carl Andre, which delimits the mobility of viewers, rendering them objects and, paradoxically, turning the artwork, a sculpture that needs no pedestal, into one. Andre's otherwise pioneering floor works are often brought up in relation to Apfelbaum's re-orienting of the viewer's gaze from the wall to the floor, setting aside the fact that their surfaces oppose a hard, cold rigidity with pliable softness and warmth, domesticity with the industrial. The rhythmic and optical work of artists such as Davis, as we clearly see, and Yayoi Kusama, with her obsessive proliferation of dots and *Infinity* rooms, are more readily brought to bear on Apfelbaum's spatial dislocations, her pursuit of the immersive, her heightening of the encounter with art as experiential and maybe even, as for those girls, joyous and unforgettable. Apfelbaum wants to say, "You are here," to situate the viewer in direct relation to the work, and to this end, beginning with *For the Love of Gene Davis*, she has incorporated footprints into the design of her carpets. Initially these were solid, a generic impression that would clearly have been left by a man's shoe. Although Apfelbaum's shoeprints have been related to, and rightly so, those in the *Dance Diagram* paintings made by Andy Warhol in 1962 fig. 3, where her carpets are concerned any meaningful relationship falls short. For one, the Warhol paintings are more likely to be hung than placed flat on low pedestals, as they were originally. With their steep increase in value, so too have they gone up—to the wall and a vertical orientation. Where choreography is concerned, no one dances on walls, except for Fred Astaire fig. 4.[4] Distinguishing Apfelbaum's shoeprints from Warhol's, we can see that hers are symbolic rather than diagrammatic, more abstract than representational, at times comically so.

The carpets made especially for Apfelbaum's participation in a 2015 show at the Everson Museum were created to be paired with a Morris Louis painting from its

4 Fred Astaire dances on the walls and on the ceiling in the movie *Royal Wedding*, 1951.

Abb. 1 — Gulliver beim Fuß des Riesen von Brobdingnag, Illustration aus *Gulliver's Travels Into Several Remote Regions of the World*, 1842, von Jonathan Swift mit Zeichnungen von Grandville
Fig. 1 — Gulliver at the feet of a giant from the Brobdingnag peninsula, illustration from *Gulliver's Travels Into Several Remote Regions of the World*, 1842, by Jonathan Swift with drawings by Grandville

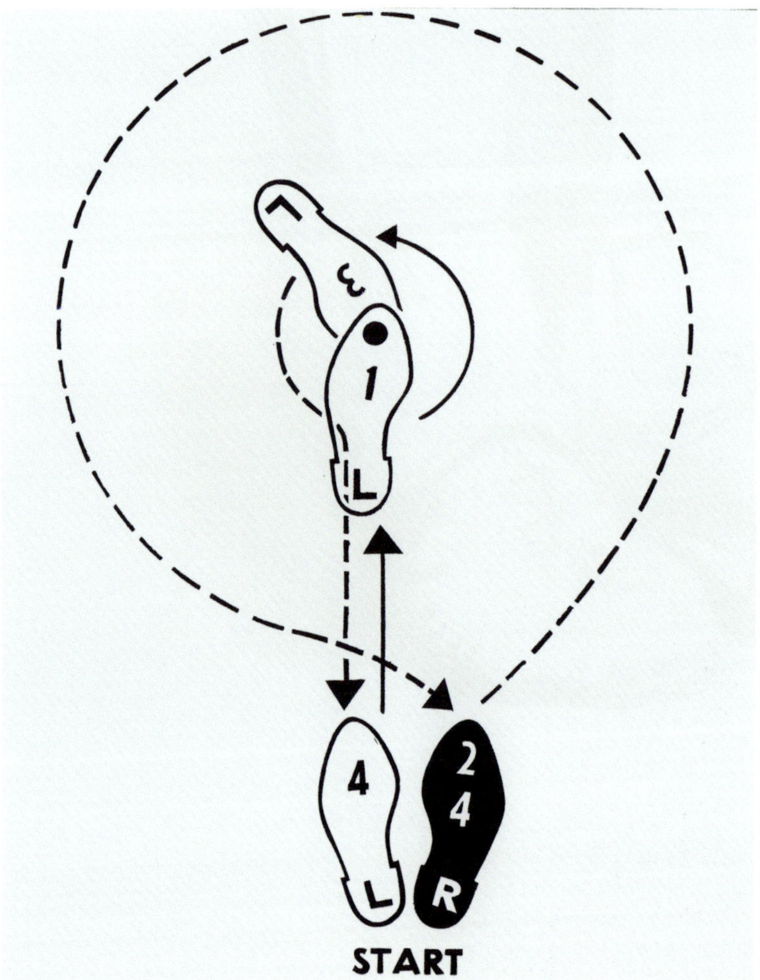

Abb. 2 / Fig. 2 — Gene Davis, *Franklin's Footpath*, Philadelphia 1972

Abb. 3 / Fig. 3 — Andy Warhol, *Dance Diagram - Foxtrot*, 1962, Hamburger Kunsthalle

einer der bekanntesten Farbfeldmaler der 1960er-Jahre, verwandelte einen Teil des auf das Philadelphia Museum of Art zulaufenden Benjamin Franklin Parkway mit rund 1 500 Litern Farbe in ein riesiges, über 120 Meter langes Streifengemälde. Er schuf damit ein Farbfeld, in das man eintauchen konnte, als hätten Künstler und Museum vor den Eingangsstufen einen Teppich ausgerollt, um die Besucherinnen und Besucher willkommen zu heißen. Über vierzig Jahre später huldigte Apfelbaum ihm in derselben Stadt mit einer aus vier langen gestreiften Teppichen und Tapeten bestehenden Installation, die Davis' Feld in den Innenraum verlagerte und gänzlich situativ anlegte, nicht nur unter den Füßen verlaufend, sondern die Betrachtenden auf allen Seiten umschließend. An den Längswänden verliefen die Streifen horizontal, um den Eindruck zu verstärken, man befinde sich im Inneren einer nahezu kurvilinearen Perspektive, aber auch um Geschwindigkeit und Distanz anzudeuten, wohingegen sie an der Stirnseite vertikal verliefen, in einer elektrisierenden, schillernd bunten Parallele zu den Säulen des Museums, die sich am Ende von Davis' gestreifter Straße erhoben.

Auf einem seinerzeit aufgenommenen Foto sieht man zwei Mädchen Hand in Hand weg vom Museum den Parkway entlanggehen [Abb. 2]. Das Erlebnis wird ihnen sicher länger in Erinnerung geblieben sein, so wie es bei anderen Interaktionen mit Kunst von der gängigeren Sorte „Schau, aber rühr mich nicht an" kaum der Fall gewesen sein dürfte und auch nicht zu erwarten war. Hier geschieht ein Wunder, das selbst die Möglichkeit, eine Metallarbeit von Carl Andre zu betreten, in den Schatten stellt, wird die oder der Betrachtende dabei doch in ihrer oder seiner Mobilität eingeschränkt, zum Objekt gemacht und das Kunstwerk, die Skulptur, die keines Sockels bedarf, paradoxerweise in einen ebensolchen verwandelt. Die ansonsten bahnbrechenden Bodenarbeiten Andres werden im Zusammenhang mit Apfelbaums Verschiebung des Betrachterblicks von der Wand auf den Boden häufig erwähnt, ungeachtet des Gegensatzes ihrer Oberflächen: hart, kalt, starr versus biegsam, weich und warm, industriell versus häuslich. Allerdings ist das rhythmisch-optische Werk von Künstlern wie Davis, wie man leicht sehen kann, und Künstlerinnen wie Yayoi Kusama mit ihrer obsessiven Anhäufung von Punkten und „Unendlichkeitsräumen" ein näherliegender Bezugsrahmen für Apfelbaums räumliche Verschiebungen, ihr Immersionsstreben, ihre Erhebung der Kunsterlebens zu einer Erfahrung und vielleicht sogar, wie für die oben erwähnten Mädchen, zu etwas Lustvollem und Unvergesslichem. „Sie befinden sich hier", will Apfelbaum dem oder der Betrachtenden sagen, um ihn oder sie direkt im Werk zu verorten, und bezieht dazu seit *For the Love of Gene Davis* Fußabdrücke in das Design ihrer Teppiche mit ein. Ursprünglich waren diese kompakt, ein generischer Abdruck, der eindeutig von einem Männerschuh stammte. Auch wenn Apfelbaums Schuhspuren zu Recht mit denen in Andy Warhols *Dance Diagram*-Gemälden von 1962 verglichen wurden [Abb. 3], so greift der Vergleich bei den Teppichen doch zu kurz. Zum einen werden Warhols Gemälde wahrscheinlich eher aufgehängt denn – wie ursprünglich – auf niedrige Sockel gelegt. Mit dem Anstieg ihres Werts sind sie gleichsam auch selbst aufgestiegen – auf die Wand und in die Vertikale. Und was die Choreografie betrifft: Tänze an der Wand gibt es nur für Fred Astaire [Abb. 4].[4] Stellt

4 Im Film *Royal Wedding* (1951) tanzt Fred Astaire über Wände und Decke.

collection, *Alpha Delta* (1961).[5] The carpets feature spill-like patterns of red, yellow, blue, and black, as if transferred from the stains of Louis's canvas. The shoeprints, coming from both ends of two parallel carpets, derive from these colors, and may be thought to have traversed the Morris Louis while the paint was still wet. The color of these imprints, however, shifts from shoe to shoe. Could this have been a dance choreographed by a dozen individuals, each hopping on one foot, as in a game of hopscotch, to meet in the center? Is this an absurd take on the painter's age-old figure/ground problem? As painterly as Apfelbaum is and has always been, she is never concerned with where to place the figure, because the figure in her world is the viewer. Viewers will orient themselves, particularly when they are able to circumnavigate a work, will place and see themselves inside of it and, given the bird's-eye view that Apfelbaum affords, will very often crouch down along its perimeter for closer examination. The artist's now-signature, kaleidoscopic compositions of the 1990s, created with myriad pieces of crushed velvet that have been dyed, cut, and carefully arranged on the floor in an anarchic outburst or blossoming mandala, introduced a unique concept for floor painting at the time. We see them in relation to the pigmented and poured latex pieces that Lynda Benglis made in 1968/69 fig. 5, radical works aligned with and subverting traditional notions of the plastic arts, and which would become increasingly sculptural in the years that followed. Artists from the 1990s and later, who produced carpets, sometimes as one-offs and not in continued engagement, were very often painters; the carpet underfoot basically a painting on the floor, a composition contained, as on canvas, within four sides. There are Neo-Geo carpets by John Armleder, a continuation of his investigation into the readymade and decor, pink plush monochromes by Olivier Mosset, and, expansively, the wall-to-wall installations of Rudolf Stingel (who also had tactile walls softened with carpet, abandoning the prohibition to "look but don't touch"). A carpet by Rosemarie Trockel parallels her iconic knitted works, always shown on the wall in pictorial space, while Turkish carpets draped over chairs by Franz West provide seating for the viewer within an interim space between the wall and the floor.

Viewers are almost always vertical in relation to an artwork. Apfelbaum's paintings on the floor reimagined the picture plane as horizontal, below eye-level. Viewers hover above even when placing themselves closer to the work's surface. With her classic multi-part constellations, they see the color, the patterns and the forms spread out as if they are being dyed all over again—the human eye engaged in a sort of live, optical mixing, as with Georges Seurat, early Ad Reinhardt, and Bridget Riley. In an activation of what Irving Sandler once observed as "the liquid movement of fabric and stain," Apfelbaum's pieces perform.[6] Here, one is reminded of the startling scene in Jud Yalkut's 1967 film, *Kusama's Self-Obliteration*, in which the artist, standing waist-deep in a pond, creates an ephemeral watercolor by repeatedly dipping her brush into paint and then tapping it to the surface of the water in which she is immersed.[7] She may be thought to be painting *en plein-air*, half submerged to liquefy and make psychedelic the impressionism of Monet, and not only,

5 Apfelbaum's installation, *For the Love of Morris Louis*, 2015, also included four green rugs in response to Louis's painting, *Twined Columns I* (1960), as well as ceramics she chose from the museum's collection. These were arranged chromatically, displayed on a large striped pedestal. The stripes matched those that were painted around the room as a continuous, banded horizon.

6 Irving Sandler, "Polly Apfelbaum: 'I wanted the work to be ... as sexy and hallucinogenic as possible,'" in *Polly Apfelbaum*, Institute of Contemporary Art, Philadelphia, 2003, p. 50. The exhibition was organized by Claudia Gould and Ingrid Schaffner.

7 Jud Yalkut, *Kusama's Self-Obliteration* (1967), 16 mm, color, 24 min.

Abb. 4 — Filmstill mit Fred Astaire aus *Royal Wedding* von Stanley Donen, 1951
Fig. 4 — Film still with Fred Astaire in *Royal Wedding* by Stanley Donen, 1951

Abb. 5 — *Lynda Benglis at Work.* Die amerikanische Künstlerin Lynda Benglis posiert neben ihrer Arbeit für die University of Rhode Island, Kingston, 1969, Foto von Henry Groskinsky
Fig. 5 — *Lynda Benglis at Work.* American artist Lynda Benglis poses with her commissioned work for the University of Rhode Island, Kingston, 1969, Photo by Henry Groskinsky

because there is also a major shift in scale which results. Kusama turns the pond into a vast amorphous worktable/sheet of paper/pot of ink, transforming herself into the brush from which the ink is released. While watching this film, an image of Apfelbaum's *Squid Ink* (1998) **fig. 6** comes readily to mind, its radiating profusion of biomorphic black and gray forms discharged by an unseen mollusk, sensing danger, afloat just below the surface of the floor. In all of Apfelbaum's art we can imagine *For the Love of...* as a fill-in-the-blank, an open-ended acknowledgement of her sources and inspirations, her joy in all the various acts with which she engages, whether consciously intended or arrived at indirectly, and yet to come.

FEET AND INCHES (DIMENSIONS VARIABLE)

With carpets designed for an exhibition in Belgium, *Deep Purple, Red Shoes* (2015),[8] Apfelbaum added the imprints of shoes that are outlines, a subtle shift from their solid incarnation, from an image of someone who was there and has gone to someone who left even less of a trace, a very different sort of absent figure. Solid and outlined, the prints are red, reddish orange and vermilion, set within the carpet and implying bodies that loom just above. Apfelbaum has referred to carpets as "planes of color," and her formidable strengths as a colorist are no more apparent than in this work. The hazy purple of the overall ground and the close hues chosen for these prints accentuate a sanguine mood that points our reading in a particular direction—casting the figure as a ghostly, barely visible heat signature. That the prints are arranged in a circle reinforces a congregational image, which may have been prompted by the space itself: two galleries in a museum that are aligned, with one underground. Though modern and bunker-like, Apfelbaum's art gives the lower room the feel of a ceremonial hogan, which in turn allows the carpets to faintly echo Navajo and Hopi sand painting. These same works, placed in another context—the white box of a contemporary gallery, for example—elicit entirely different associations. Apfelbaum has remarked about her work, paraphrasing the minimal sculptor Fred Sandback, best known for string works with which he drew in space, creating form nearly out of thin air, through pure delineation: "The works are situational."[9]

Apfelbaum's carpets, *Dubuffet's Feet* (2016), introduced a new footprint, one that is neither solid nor masculine, nor related to a shoe, and until now these impressions have always been adult-human scale. The footprint we are now confronted with is a bare foot, and enormous. Where a human foot may measure an identical twelve inches, the imprints on these carpets are approximately 18 feet long. The absent figure, which we can only imagine, has literally been taken to new heights: If we were to add a person to these footprints, someone standing upright measured from head to toe, we would have a towering figure of over 100 feet tall. His or her head would easily poke out from the roof—a modern-day Gulliver. Since there are four carpets, two left feet and two right, aligned as parallel pairs and pointed in opposite

8 *Deep Purple, Red Shoes*, 2015, Be-Part, Platform voor actuele kunst in Waregem, Belgium, organized by Patrick Ronse and Lize Chielens.

9 All quotes by the artist are taken from a studio visit on November 16, 2015.

man Apfelbaums Schuhabdrücke denen von Warhol gegenüber, sieht man, dass die ihren eher symbolisch als diagrammatisch sind, eher abstrakt als darstellend, und das manchmal auf witzige Weise.

Die Teppiche für Apfelbaums Beitrag zu einer Schau im Everson Museum 2015 wurden speziell zu dem Gemälde von Morris Louis *Alpha Delta* (1961) aus der Sammlung des Museums gefertigt.[5] Sie besitzen ein direkt von Louis' Gemälde übernommenes Design aus roten, gelben, blauen und schwarzen Schüttformen. Die von beiden Enden der nebeneinanderliegenden Teppiche aus verlaufenden Schuhspuren greifen diese Farben auf und scheinen auf den ersten Blick von jemandem zu stammen, der über das noch nasse Bild von Morris Louis gelaufen ist. Nur dass sich die Farbe von Schuhabdruck zu Schuhabdruck ändert. Liegt ihnen eine Tanzchoreografie zugrunde, bei der sich ein Dutzend Leute auf einem Bein wie beim Tempelhüpfen aufeinander zubewegten? Haben wir es mit einer absurden Interpretation des altehrwürdigen Figur-Grund-Problems zu tun? Malerisch wie Apfelbaum seit jeher arbeitet, geht es ihr nie um die Frage, wohin sie die Figur setzen soll, denn die Figur ist in ihrer Welt die Betrachterin oder der Betrachter. Als solche/r orientiert, positioniert und sieht man sich *in* der Arbeit – vor allem wenn man darum herumgehen kann – und wird sich angesichts der von Apfelbaum gewährten Vogelperspektive nicht selten an ihren Rand hocken, um sie näher in Augenschein zu nehmen. Die inzwischen zu Apfelbaums Signatur gewordenen kaleidoskopartigen Kompositionen aus den 1990er-Jahren, die aus unzähligen gefärbten und zugeschnittenen Teilen gecrushten Samts bestanden, die auf dem Boden sorgfältig zu anarchischen Ausbrüchen oder Blütenmandalas arrangiert wurden, führten ein damals einzigartiges Konzept in die Bodenmalerei ein. Man kann sie mit den Schüttarbeiten aus pigmentiertem Latex in Verbindung bringen, die Lynda Benglis 1968/69 schuf [Abb. 5], radikale Werke, die sich an traditionellen Plastikbegriffen rieben und sie unterminierten und in den Folgejahren zunehmend skulpturale Form annahmen. Die Künstlerinnen und Künstler, die ab den 1990er-Jahren Teppiche produzierten, manchmal auch als Einzelstücke und nicht als ständige Beschäftigung, kamen zumeist von der Malerei; der unter den Füßen liegende Teppich ist im Grunde ein Bodengemälde, eine von vier Seiten begrenzte Komposition wie die Leinwand. Es gibt Neo-Geo-Teppiche von John Armleder, eine Fortführung seiner Auseinandersetzung mit Readymade und Dekor, pinke Plüschmonochrome von Olivier Mosset und die von Wand zu Wand reichenden Installationen von Rudolf Stingel (der mit der Schaffung weicher betastbarer Teppichwände auch das „Schau-aber-rühr-mich-nicht-an"-Gebot hinter sich ließ). Teppiche von Rosemarie Trockel sind Pendants zu ihren ikonischen Strickbildern, während Franz West mit seinen über Stühle und Sofas gebreiteten orientalischen Teppichen Sitzgelegenheiten für den Betrachter oder die Betrachterin im Zwischenraum zwischen Wand und Boden schuf.

Betrachterinnen und Betrachter stehen fast immer vertikal zum Kunstwerk. Apfelbaums Bodenarbeiten, sogenannte „Fallen Paintings", (re-)imaginieren die Bildfläche als horizontal, unterhalb der Augenhöhe gelegen. Selbst wenn man sich ihr nähert,

5 Apfelbaums Installation *For the Love of Morris Louis* (2015) umfasste auch vier grüne Teppiche, die auf Louis' Gemälde *Twined Columns I* (1960) antworteten, sowie Keramikarbeiten aus der Museumssammlung. Letztere waren chromatisch auf einem großen gestreiften Podest angeordnet. Die Streifen entsprachen denen, die als durchgehender gemalter Horizont um den ganzen Raum herum gezogen worden waren.

directions, there could be two giants. The prints have been drawn with what the artist describes as "an awkward line," based on drawings by Jean Dubuffet that she saw at the Museum of Modern Art, from the *Footprints in the Sand*, which appear in his sketchbook, *El Golea II* (1948, fig. 7). That Apfelbaum characterizes the footprints in her carpets as "very '70s and ugly," is certainly appropriate, though not without complication, to Dubuffet. He believed that beauty was "nowhere [and] completely false," that there was no such thing as an ugly object, that any object can elicit fascination and be elevated to the status of art.[10] Apfelbaum would agree wholeheartedly with this idea of the uncommon power of common objects.

Dubuffet was ahead of his time in advocating for a redefinition of beauty, not only in things but in our regard for others, and although he lived through the 1970s he did not live on into our time. Today, redefined or not, we look back on the now-maligned style of the decade, its sometimes awkward supergraphics in particular. Apfelbaum's carpets register the earth tones of this period, along with Earth shoes, yoga and the *Whole Earth Catalog*, in parallel to her own free-spirited youth (she attended, by her own admission, "a hippie high school" in the 1970s in Philadelphia's Germantown), corresponding suggestively with the sandy shoreline where Dubuffet's footprints may have been left behind, and thus with the natural landscape. Apfelbaum's imprints, enlarged far beyond human scale, beyond that of the tallest dinosaurs that rose some sixty feet, monumentalize an intentional awkwardness. As with caricature, the oddness of a feature is emphasized, prominent contours conveying personality with an economy of means. Apfelbaum also believes in beauty and beauty redefined, as we can see in her work across thirty years, and in her affinities with iconoclasts such as Ree Morton, Alan Shields, and Richard Tuttle, who all freed painting from its rigid stretcher, and in making it pliant embraced materiality and modesty, humor and domesticity, imaginatively filtered through the vernacular. Like them, Apfelbaum practices a form of reverent irreverence, placing a carpet on the ground, a site for quiet meditation, and lowering the horizon, while pulling a rug out from under our feet. With Shields in particular, a hippie modernist to be sure, Apfelbaum shares an affinity for beadwork, as in her recent piece, *Face (Geometry) (Naked) Eyes*, 2016. In this installation, four long yellow carpets animated by eyes with red orbs are bisected, floor to ceiling, by a subtle, double curtain of red ceramic beads strung from yellow string. The beads themselves, which she held and shaped in the palms of her hands, are dangling eyes, the curtain a form of drawing in space, and together, hovering above and in between the four carpets—a Newton's Cradle at rest?—they offer sight lines that rise and fall.

To reconsider Apfelbaum's earlier works as expansive yet discrete, in relation to where we find her today, she has always set out to orchestrate a vibrant composition within a room, creating an environment into which viewers are seduced and drawn. This is also a reminder of Apfelbaum's aim, since she found her own voice as an artist, to "simplify things materially and formally," and yet all these years later, we see

10 From "Anticultural Positions," a lecture given by Jean Dubuffet at the Arts Club of Chicago, December 20, 1951. The complete text can be read at http://www.logosjournal.com/issue_5.2/dubuffet.htm

schwebt man beim Betrachten darüber. Bei Apfelbaums klassischen vielteiligen Konstellationen breiten sich die Farben, Muster und Formen vor einem aus, als würden sie neu gefärbt – wie bei Georges Seurat, dem frühen Ad Reinhardt oder Bridget Riley nimmt das menschliche Auge eine Art optischer Livemischung vor. Ihre Arbeiten sind performativ, insofern sie etwas aktivieren, was Irving Sandler einmal „die flüssige Bewegung von Stoff und Färbung" genannt hat.[6] Das erinnert an die frappierende Szene in Jud Yalkuts 1967 gedrehtem Film *Kusama's Self-Obliteration*, in der die Künstlerin bis zur Hüfte in einem Teich steht und ein vergängliches Aquarell malt, indem sie mit ihrem Pinsel Farbe auf die sie umgebende Wasseroberfläche tupft.[7] Man könnte sie als Freiluftmalerin betrachten, die halb ins Wasser eintaucht, um den Impressionismus Monets zu verflüssigen und zu psychedelisieren, und das nicht nur weil damit auch eine Verschiebung der Größenverhältnisse verbunden ist. Kusama verwandelt den Teich in ein riesiges amorphes Zeichenbrett/Blatt Papier/Farbfass und sich selbst in einen Pinsel, von dem die Farbe abgegeben wird. Beim Betrachten dieses Films könnte einem Apfelbaums *Squid Ink* (1998) **Abb. 6** in den Sinn kommen, der radiale Schwall schwarzer und grauer biomorpher Formen, ausgestoßen von einer unsichtbaren, eine Gefahr witternden Molluske direkt unter dem Boden. Das gesamte Werk Apfelbaums kann man sich als ein ergänzbares *For the Love of …* vorstellen, eine unabgeschlossene Anerkennung ihrer Quellen und Inspirationen, ihrer Freude an den verschiedenen Tätigkeiten, denen sie nachgeht, ob bewusst gewählt oder indirekt gefunden oder noch im Werden.

FUSS UND ZOLL (GRÖSSE VARIABEL)

Bei den Teppichen, die Polly Apfelbaum 2015 für eine Ausstellung in Belgien mit dem Titel *Deep Purple, Red Shoes*[8] entwarf, kamen umrandete Schuhabdrücke hinzu, eine subtile Verschiebung der kompakten Variante, der Spur von jemandem, der da war und gegangen ist, hin zu jemandem, der eine noch schwächere Spur hinterlassen hat, einer völlig anderen Art von abwesender Figur. Kompakt und umrandet, erinnern die in den Teppich eingearbeiteten roten, orangeroten und zinnoberroten Abdrücke an Körper, die knapp über ihm schweben. Apfelbaum hat Teppiche einmal als „Farbebenen" bezeichnet, und ihre außergewöhnlichen Fähigkeiten als Koloristin sind nirgends deutlicher zu sehen als hier. Das diffuse Violett des allgemeinen Grunds und die für die Abdrücke gewählten ähnlichen Farbtöne tragen zu einer Stimmung bei, die die Interpretation in eine bestimmte Richtung lenkt, die Figur als geisterhaftes, kaum sichtbares Wärmebild erscheinen lässt. Dass die Fußabdrücke in einem Kreis angeordnet sind, verstärkt die Vorstellung einer Versammlung, die vielleicht vom Ort selbst – zwei miteinander verbundenen Ausstellungsräumen in einem Museum, von denen einer unter der Erde gelegen ist – angeregt wurde. Trotz seines modernen, bunkerartigen Aussehens erhält der untere Raum durch Apfelbaums Arbeit etwas von einem Zeremonien-Hogan[9], sodass man auch bei den Teppichen ein wenig an Sandbilder der Navajo oder der Hopi denkt. In einem anderen Kontext – etwa im weißen Kubus

6 Irving Sandler, „Polly Apfelbaum: ‚I wanted the work to be … as sexy and hallucinogenic as possible'", in: *Polly Apfelbaum* (Ausst.-Kat., Institute of Contemporary Art, Philadelphia), Philadelphia 2003, S. 50. Die Ausstellung wurde von Claudia Gould und Ingrid Schaffner kuratiert.

7 Jud Yalkut, *Kusama's Self-Obliteration*, 1967, 16mm, Farbe, 24 Min.

8 *Deep Purple, Red Shoes*, 2015, Be-Part, Platform voor actuele kunst, Waregem, Belgien, kuratiert von Patrick Ronse und Lize Chielens.

9 Hogan bezeichnet ein traditionelles Wohnhaus indigener Völker im Südwesten der USA, das auch Platz für rituelles Geschehen bietet.

Abb. 6 / Fig. 6 —
Polly Apfelbaum, *Squid Ink*, 1998,
Collection of Penny Cooper and
Rena Rosenwasser, Berkeley, CA

Abb. 7 — Jean Dubuffet,
Footprints in the Sand, 1948,
Museum of Modern Art, New York;
Geschenk des Künstlers
Fig. 7 — Jean Dubuffet,
Footprints in the Sand, 1948,
Museum of Modern Art, New York;
Gift of the artist

Abb. 8 / Fig. 8 — Sketch B. N.,
2015

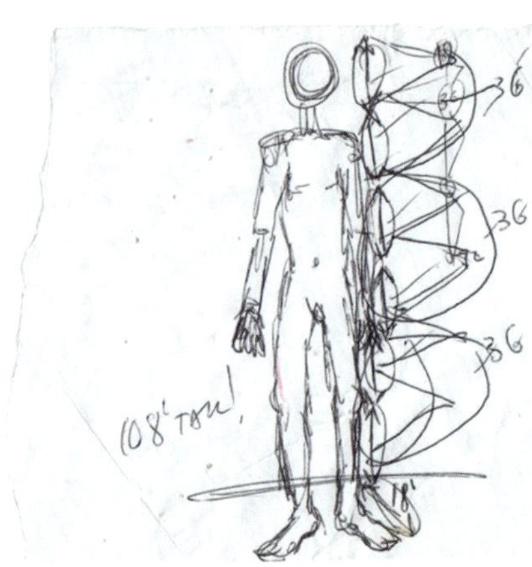

einer modernen Galerie – würden diese Arbeiten ganz andere Assoziationen hervorrufen. „Die Arbeiten sind situativ", sagt Apfelbaum,[10] den minimalistischen Bildhauer Fred Sandback paraphrasierend, der am besten für seine Schnurskulpturen bekannt ist, Zeichnungen im Raum, in denen er Form fast nur aus Luft, durch reine Begrenzung schuf.

Mit den Teppichen *Dubuffet's Feet* (2016) führte Apfelbaum einen weiteren Fußabdruck ein, einen, der weder kompakt noch maskulin noch beschuht ist noch, wie alle bisherigen, dem eines erwachsenen Menschen entspricht. Der Abdruck, mit dem wir es hier zu tun haben, stammt von einem riesigen bloßen Fuß. Beträgt die Länge eines (menschlichen) Fußes zwölf Zoll (ca. 30,5 cm), so sind die Abdrücke auf diesen Teppichen rund 18 Fuß (ca. 5,50 m) lang. Die dazugehörige Figur, die wir uns nur vorstellen können, würde im wahrsten Sinn des Wortes durch die Decke gehen: Eine zu diesen Fußabdrücken passende aufrecht stehende Person wäre über dreißig Meter hoch und würde oben aus dem Dach ragen – ein Gulliver unserer Tage. Da wir es mit vier Teppichen zu tun haben, zwei linken und zwei rechten Füßen, die paarweise angeordnet sind und in verschiedene Richtungen weisen, könnte es sich um zwei Riesen handeln. Die Abdrücke sind – so die Künstlerin – mit einem „unbeholfenen Strich" gezeichnet, basierend auf Zeichnungen Jean Dubuffets, die sie im Museum of Modern Art gesehen hat, den *Footprints in the Sand* aus dessen Skizzenbuch *El Golea II* (1948, Abb. 7). Apfelbaums Beschreibung der Fußabdrücke auf ihren Teppichen als „ziemlich Seventies und hässlich" ist bei Dubuffet durchaus angebracht, wenn auch nicht ohne Komplikation. Für ihn war Schönheit „nirgendwo [und] völlig falsch", etwas Hässliches gab es für ihn nicht, jedes Objekt konnte Faszination ausüben und in den Rang eines Kunstwerks erhoben werden.[11] Apfelbaum würde dieser Vorstellung von der ungewöhnlichen Kraft gewöhnlicher Objekte aus vollem Herzen zustimmen.

Mit seinem Eintreten für einen anderen Schönheitsbegriff, nicht nur in Bezug auf Dinge, sondern auch in Bezug auf unsere Achtung für den anderen, war Dubuffet seiner Zeit voraus. Doch auch wenn er damit die 1970er-Jahre überstand, bis in unsere Tage reichte es nicht. Was auch immer aus dem Schönheitsbegriff wurde, jedenfalls blicken wir heute auf einen geschmähten Dekadenstil zurück, besonders was seine manchmal abseitigen Supergraphics angeht. Apfelbaums Teppiche greifen die Erdtöne dieser Zeit mitsamt den Earth Shoes und dem *Whole Earth Catalog* auf, die ihre freizügige Jugend begleiteten (nach eigenem Bekunden ging sie in den 1970er-Jahren auf eine „Hippie-Highschool" in Philadelphias Germantown) und den Sandstrand heraufbeschwören, auf dem Dubuffets Fußabdrücke vielleicht hinterlassen wurden, und damit auch die natürliche Landschaft. Apfelbaums Fußabdrücke, die jegliches menschliche Maß, ja sogar das der größten Dinosaurier, die nur 18 Meter groß wurden, übersteigen, monumentalisieren eine bewusste Unbeholfenheit. Wie in der Karikatur wird ein typisches Merkmal hervorgehoben, ein markanter Gesichtszug, der die jeweilige Persönlichkeit mit sparsamsten Mitteln skizziert. Auch Apfelbaum glaubt an Schönheit und an einen anderen Begriff davon. Das belegt ihr Werk seit

10 Sämtliche Zitate der Künstlerin gehen auf einen Atelierbesuch am 16. November 2015 zurück.

11 Vgl. Jean Dubuffets Vortrag „Anticultural Positions", gehalten am 20. Dezember 1951 im Arts Club of Chicago. Der vollständige Text findet sich unter http://www.logosjournal.com/issue_5.2/dubuffet.htm.

that in a process of reduction the depth of complexity has not in any way been lost. Trained as a printmaker, the notion of how every image is capable of generating another, how visual information is imprinted upon the viewer and multiplies, is of paramount importance. If some of her more recent installations at first appear pared down, they are only deceptively so. Apfelbaum still aims to elicit an "instant hit," and from there encourage viewers to spend time with these works, to remove their shoes—freeing in and of itself—to sit down on the carpet and settle in for the ride. Apfelbaum's floor pieces allow us to enter into a total sensual environment of form and color, alternately contemplative and dizzying, to be absorbed just as ink is absorbed into cloth. The viewer, then, is also Apfelbaum's subject, meant to interact with her work and be acted upon. After thirty years' time, she continues to find new ways of grounding the viewer and orchestrating the conditions through which we may immerse ourselves in art. As she opens up other pathways, even allowing us to inhabit the footsteps of a giant, she reminds us that we are all, in body and mind, potentially buoyant. If at times her floor pieces suggest flying carpets, it's because they are.

dreißig Jahren – ebenso wie ihre geistige Verwandtschaft mit Ikonoklastinnen und Ikonoklasten wie Ree Morton, Alan Shields und Richard Tuttle, die alle die Malerei aus der Starrheit des Keilrahmens befreit und biegsam gemacht haben, indem sie sich um Materialität und Schlichtheit, Heiterkeit und Häuslichkeit, gefiltert durch Volkskunst, bemühten. Wie sie praktiziert Apfelbaum eine Art respektvoller Respektlosigkeit, wenn sie mit einem Teppich einen Ort für stille Meditation schafft und den Horizont absenkt, während sie uns zugleich den Boden unter den Füßen wegzieht. Speziell mit dem Hippiemodernisten Shields teilt sie eine Vorliebe für das Arbeiten mit Perlen, wie in ihrem neueren Werk *Face (Geometry) (Naked) Eyes* von 2016. In dieser Installation werden vier lange gelbe, durch Augen mit roten Augäpfeln belebte Teppiche in der Mitte durch einen von der Decke bis zum Boden reichenden zarten Doppelvorhang aus gelben Schnüren, an denen rote Keramikkugeln hängen, geteilt. Auch diese Perlen, die sie selbst in Händen gehalten und geformt hat, sind baumelnde Augen, und der Vorhang ist eine Art Zeichnung im Raum. Über und zwischen den vier Teppichen schwebend – ein stillstehendes Newtonpendel? – bilden sie gemeinsam steigende und fallende Sichtlinien.

Auch wenn Apfelbaums frühere Arbeiten im Vergleich zu ihren heutigen expansiv, aber für sich stehend erscheinen, so hat sie doch immer schon versucht, eine kräftige Komposition in einem Raum zu orchestrieren, eine Umgebung, die einen verführt und hineinzieht. Das erinnert auch an Apfelbaums Ziel, „materiell wie formal zu vereinfachen“, das sie verfolgt, seit sie ihren Stil als Künstlerin gefunden hat. Und doch sehen wir all die Jahre später, dass im Prozess der Reduktion nichts an Tiefe und Komplexität verloren gegangen ist. Für die gelernte Druckgrafikerin ist der Gedanke, dass jedes Bild ein anderes hervorbringen kann, dass sich visuelle Information der oder dem Betrachtenden einprägt und dabei vervielfältigt, von größter Bedeutung. Wenn einige ihrer neueren Installationen auf den ersten Blick simpler erscheinen, so täuscht das. Apfelbaum versucht immer noch, einen „unmittelbaren Hit“ zu landen und dann den oder die Betrachtende zu ermutigen, sich länger mit der Arbeit zu beschäftigen, die Schuhe auszuziehen, was an sich schon befreiend ist, sich auf dem Teppich niederzulassen und auf die Reise zu begeben. Bei Apfelbaums Bodenarbeiten betritt man ein mal beschauliches, mal schwindelerregendes sinnliches Environment aus Form und Farbe, das man aufsaugen muss. So wie ein Stück Stoff Tusche aufsaugt. Als Betrachterin oder Betrachter ist man also auch ein Gegenstand Apfelbaums, auf den die Arbeit einwirken und der mit der Arbeit interagieren soll. Nach dreißig Jahren findet sie immer noch neue Möglichkeiten, uns in Bann zu schlagen und die Bedingungen zu orchestrieren, die es uns ermöglichen, in Kunst einzutauchen. Mit der Eröffnung neuer Wege, die uns sogar in die Fußstapfen von Riesen treten lassen, erinnert sie daran, dass wir alle das Potenzial zum Abheben haben, körperlich wie geistig. Wenn ihre Bodenarbeiten manchmal wie fliegende Teppiche wirken, dann deshalb, weil sie es sind.

Abb. 1 — Sophie Taeuber-Arp,
Fabric Sculpture, um 1916/17,
Privatsammlung
Fig. 1 — Sophie Taeuber-Arp,
Fabric Sculpture, ca. 1916/17,
Private collection

VOM ANGEWANDTEN ZUM

TEXTILE TYPOLOGIEN IN DER MODERNEN UND DER ZEITGENÖSSISCHEN KUNST

„NACHGEWANDTEN" MEDIUM

Patricia Grzonka

Polly Apfelbaums immersive Teppichinstallationen sollen hier den Beginn einer retrospektiven Genealogie der textilen Kunst und ihrer Techniken markieren: Es ist eine wilde Geschichte der respektlosen Aneignungen und Grenzüberschreitungen jeglicher genrebezogenen Limitierungen, eine Geschichte auch, die von geschlechtsspezifischen Codierungen und ihrem Sprengsatz handelt und diesen mit großer Radikalität auch auf die bildende Kunst überträgt. Daher ist es auch eine Geschichte der Emanzipation – und zwar in doppelter Hinsicht: einmal im Sinne einer Befreiung der textilen Techniken aus dem Korsett der Häuslichkeit und gleichzeitig im Sinne einer Befreiung der Zuschreibung dieser Techniken, die pauschal und abwertend lange Zeit als „weiblich" galten.

Apfelbaum selbst spricht im Interview in diesem Katalog über die Notwendigkeit, diese alten Kategorien und Einschränkungen hinter sich zu lassen, indem sie einfordert, das mit Häuslichkeit und Weiblichkeit behaftete „Stigma" des Handwerks zu überwinden: „[…] ich würde sagen, wir müssen weg davon, Wörter wie Kunstgewerbe und Design zu stigmatisieren, damit diese Begriffe nicht mehr dazu verwendet werden können, gewisse Arbeiten auszugrenzen, Arbeiten, die meist mit Frauen assoziiert werden."[1]

1 Siehe das Interview von Kate McNamara mit der Künstlerin in diesem Katalog, S. 17.

From an Applied to a Post-Applied

Typologies of Textiles in Modern and Contemporary Art

Art Medium

Patricia Grzonka

Polly Apfelbaum's immersive rug installations will serve here as the starting point for a retrospective genealogy of textile art and its techniques. It is a wild story of irreverent appropriation and transgression of the limitations of genre, a story that deals with gender-specific codings and their explosiveness, applying them to fine art in a very radical way. For this reason, it is also a story of emancipation, in two senses of the word: freeing textile techniques from the corset of domesticity and at the same time freeing these techniques from the longstanding, dismissive, and contemptuous designation as "feminine."

In the interview, Apfelbaum herself speaks of the necessity of leaving these old categories and limitations behind, calling for an abandonment of the feminine and domestic "stigma" attached to crafts: "[…] I would say we have to get away from stigmatizing terms like 'arts and crafts' or 'design' so they can no longer be used to exclude certain works—works that are mostly associated with women."[1]

It is necessary, then, to overcome such restrictive attitudes, but this will also require a new, critical vocabulary that can break through these categories and the limitations they impose. The thesis of this essay is that much has been done in the fine art world over the last twenty years to break open, or even to remove, these narrow definitions.

1 See Kate McNamara's interview with the artist in this catalogue p. 14.

Es wäre also notwendig, solche restriktiven Sichtweisen zu überwinden, aber dazu bedürfte es auch eines neuen, kritischen Vokabulars, mit dem diese limitierenden Kategorien aufgebrochen werden könnten. Die These, die in diesem Text vertreten wird, lautet, dass gerade am Schauplatz der bildenden Kunst in den letzten zwanzig Jahren sehr viel dazu beigetragen worden ist, diese Engdefinitionen aufzubrechen, wenn nicht gar aufzuheben.

Bildende Künstlerinnen und Künstler arbeiten heute ganz selbstverständlich in den unterschiedlichsten Medien und Gestaltungstechniken parallel: Dies impliziert nicht nur „traditionelle", monomediale Gattungen wie Malerei und Bildhauerei, sondern auch multimediale Verfahren wie Fotografie oder digitale Anwendungen, vor allem aber die Bereiche, die üblicherweise als angewandte Kunst gelten, darunter Keramik, Handwerk, Design oder Mode. Zu diesem Medienmix äußert sich Polly Apfelbaum ebenfalls in Bezug auf ihre eigene Arbeit: „Eigentlich mag ich den Begriff Kunstgewerbe. Vor etwa zehn Jahren versuchte der Kunstbetrieb, ihn loszuwerden. Ich habe mich immer für ein Hybrid gehalten, mich u. a. bei Mode, Design, Kunstgewerbe, Malerei und Plastik bedient."[2]

So haben sich die hybriden Mischformen, die seit der 2000er-Wende vor allem in der bildenden Kunst Einzug gehalten haben, zu einem eigenen fluiden Medium verselbstständigt. Und mehr noch: Sie haben dabei auch ihre eigene Geschichtlichkeit und Referenzialität erzeugt, die neben einer disziplinspezifischen Historisierung auch außerhalb der bildenden Kunst zu suchen ist. Denn ihre kulturanthropologischen, soziologischen oder architektonischen Verknüpfungen erzeugen ganz wesentliche Aspekte in dieser Geschichte einer hybriden künstlerischen Ausdrucksform.[3] Im Folgenden werden mit dem Fokus auf einige handwerkliche Techniken wie Weben, Stricken, Knüpfen und Sticken Typologien des textilen Schaffens vorgestellt, die den enormen expansiven Drang dieses ehemals so gebundenen angewandten Mediums im Rahmen einer etwas weiter gefassten Geschichte veranschaulichen. Der Fokus liegt dabei auf dem künstlerischen Teppich(-objekt). Thesenhaft wird diese Geschichte hier für das erste Viertel des 20. Jahrhunderts erzählt.

TEXTILE AVANTGARDE UND DIE KUNST DER MODERNE

Sophie Taeuber-Arp und Anni Albers sind – gemeinsam mit Sonia Delaunay und vielen anderen Kunstschaffenden – wesentliche Protagonistinnen dieser „Expansionsgeschichte" im frühen 20. Jahrhundert. Diese Künstlerinnen trugen über ihre Textilentwürfe maßgeblich zur Entwicklung der abstrakten Kunst bei – nicht alle von ihnen wählten dieses Medium freiwillig, viele studierten mangels Zulassung zu den „Männerdomänen" Malerei und Bildhauerei zunächst in Textilfachklassen. Sonia Delaunay war ausgebildete Malerin und wendete sich von da aus zum Design. Die praktische

2 Ebd., S. 17.

3 Die Virulenz und die Fokussierung auf unterschiedliche Aspekte des Textilen in der bildenden Kunst spiegeln sich seit ein paar Jahren auch in vielen größeren und kleineren internationalen Ausstellungsprojekten. Eine Auswahl: *Marokkanische Teppiche und die Kunst der Moderne*, Staatliches Museum für angewandte Kunst, München, 2013; *Textiles: Open Letter*, Museum Abteiberg Mönchengladbach, 2013; *To Open Eyes. Kunst und Textil vom Bauhaus bis heute*, Kunsthalle Bielefeld, 2013; *Kunst & Textil*, Kunstmuseum Wolfsburg, 2014; *Pathmakers: Women in Art, Craft and Design, Midcentury and Today*, MAD, New York, 2015; *Wall to Wall: Carpets by Artists*, MOCA Cleveland, 2016.

Of course, fine artists today often use different media and design techniques in parallel: not only "traditional" monomedia genres such as painting and sculpture, but also multimedia processes such as photography or digital applications, and, especially, the areas usually considered applied art, including ceramics, crafts, design, and fashion. Polly Apfelbaum comments on this mixture of media in her own work: "I actually like the term arts and crafts. About ten years ago the art scene was trying to get rid of it. I always considered myself a hybrid, taking things from fashion, design, arts and crafts, painting, and sculpture."[2]

Thus, the hybrid forms that have found their way into fine art, particularly since the year 2000, have become established as their own fluid medium. Moreover, they have created their own historicity and referentiality, which, in addition to a discipline-specific historicization, can be found outside the fine arts as well. Their links to cultural anthropology, sociology, or architecture add substance to this history of a hybrid form of artistic expression.[3] This essay will discuss typologies of creative textile work that illustrate this once limited, practical medium in the context of a broader history, with a focus on some crafting techniques such as weaving, knitting, knotting, and embroidery, highlighting the artistic rug (object). The present thesis encompasses this history during the first quarter of the 20th century.

THE TEXTILE AVANT-GARDE AND MODERN ART

Sophie Taeuber-Arp and Anni Albers, along with Sonia Delaunay and many other creative artists, are essential protagonists of this "history of expansion" in the early 20th century. Through their textile designs, these artists made a substantial contribution to the development of abstract art. Not all of them chose this medium of their own free will; many initially studied in specialized textile classes because the "men's domains" of painting and sculpture were not open to them. Sonia Delaunay, on the other hand, trained as a painter but turned from that to design. The practical application of her abstract, aesthetic, and "simultaneous" principles, which she carried over into textile designs and fashion or everyday objects, made her an early "cross-over figure" (Polly Apfelbaum).[4]

As early as the 1910s in Germany and Switzerland, Sophie Taeuber-Arp was developing a concept of design and surface in trailblazing woven works, which appeared before or at the same time as the abstract art of the period (De Stijl and Mondrian, as well as Kandinsky). As head of the textile department at the Zürcher Kunstgewerbeschule from 1916 onward, she "tried to give her students an idea of the problems of the time, so they would not lapse into pointless arts and crafts."[5] A leading protagonist of the Dada movement in Zurich, she carried over the structural expansion of the concept of art and her focus on the rhythmic arrangement of surfaces,

2 Ibid., p. 14.

3 The virulence and the focus on different aspects of textiles in the fine arts have been evident for some years in many larger and smaller international exhibition projects. To name a few: *Marokkanische Teppiche und die Kunst der Moderne*, Staatliches Museum für angewandte Kunst München, 2013; *Textiles: Open Letter*, Museum Abteiberg Mönchengladbach, 2013; *To Open Eyes. Kunst und Textil vom Bauhaus bis heute*, Kunsthalle Bielefeld, 2013; *Kunst & Textil*, Kunstmuseum Wolfsburg, 2014; *Pathmakers: Women in Art, Craft and Design, Midcentury and Today*, MAD, New York, 2015; *Wall to Wall: Carpets by Artists*, MOCA Cleveland, 2016.

4 See Kate McNamara's interview with the artist in this catalogue, p. 12.

Anwendung ihrer abstrakten, ästhetischen und „simultanen“ Prinzipien, die sie auf textile Gestaltungen und die Mode oder Gebrauchsobjekte übertrug, machten sie zu einer frühen „Cross-over-Figur“ (Polly Apfelbaum).[4]

Sophie Taeuber-Arp entwickelte in bahnbrechenden Webarbeiten bereits in den 1910er-Jahren in Deutschland und der Schweiz eine Auffassung von Gestaltung und Fläche, die vor der oder parallel zur abstrakten Kunst der Zeit (De Stijl und Mondrian, aber auch Kandinsky) entstand. Als Leiterin der Textilfachklasse der Zürcher Kunstgewerbeschule war sie ab 1916 „bestrebt, ihren Schülerinnen einen Begriff von den Problemen der Zeit zu vermitteln, so dass diese nicht ins sinnlos Kunstgewerbliche abglitten“[5]. Ihre strukturelle Ausweitung des Kunstbegriffs, ihren Fokus auf rhythmische Gliederung der Fläche, die sie mit dem Textilen entwickelte, übertrug sie bereits zur Zeit des Zürcher Dada auf den Tanz, die Raumgestaltung und die Architektur. Sie nahm damit vieles vorweg, was erst in der zweiten Hälfte des 20. Jahrhunderts breite Wirkung erlangt hat [Abb. 1].

Weben in seiner Urfunktion ist kein mimetisches Abbilden der Natur, sondern basiert auf einem komplexen Übersetzungsprozess, einer Kultivierung und Strukturbildung, die durch ihre binäre Vertikal-Horizontal-Rasterung eine abstrakte visuelle Flächigkeit erzeugt. Das fertige Gewebe kann verschiedene Zwecke erfüllen – umhüllen und verdecken, Wärme speichern oder Feuchtigkeit absorbieren –, was in verschiedensten Anwendungsbereichen ablesbar wurde: als Decke oder Teppich auf dem Bett und auf dem Boden, als eine strukturierende Wand (als Zelt bzw. im Sinne Sempers als „Urhütte“), als Kleidungsstück (Umhang) oder auch als Schmuck der Wohnräume (Wandbehang).[6] Die Multifunktionalität von Geweben und Stoffen ist eine universale Komponente. Im Hinblick auf eine textile Typologie bedeutet dies auch, dass kulturhistorisch nicht zwischen den verschiedenen Funktionsbereichen unterschieden wurde. Was als permanente technische Grenzüberschreitung bereits medieninhärent angelegt war, ist eine Komponente, die für die neuere bildende Kunst ganz wesentlich ist. Heinz Meyer weist darauf hin, „dass sich vor allem bei den antiken Autoren in der Regel nicht genau sagen lässt, ob bei ihnen von Teppichen, Decken, Vorhängen oder als Kleidungsstücken genutzten Umhängen gesprochen wird und ob diese geknüpft, gewebt oder gewirkt sind. Diese Ungewissheit bedeutet, dass dort, wo von ‚Teppichen‘ die Rede ist, auch Decken, Vorhänge und Umhänge gemeint sein können.“[7]

In diesem Sinne sind Anni Albers’ Bauhaus-Wandbehänge, die so verblüffend die schematische Bildwelt binärer Computercodes vorwegnehmen, als Experimentierfelder bildnerischer und funktioneller Gestaltung zu sehen. Hier wird deutlich, dass die gewebten Textilien eine strukturelle Vorreiterrolle einnahmen, da sie zum einen eine eigenständige abstrakte Auffassung von Gestaltung und Fläche aufwiesen und zum anderen die Kategorie des Seriellen sowohl in der Produktion als auch im Entwurf deutlich machten [Abb. 2].

4 Siehe das Interview von Kate McNamara mit der Künstlerin in diesem Katalog, S. 17.

5 Max Bill im Wikipedia-Eintrag zu Sophie Taeuber-Arp, https://de.wikipedia.org/wiki/Sophie_Taeuber-Arp (zuletzt besucht am 20.5.2018).

6 Bzw. ist der Gebrauch von Teppichen als Fußbodenbedeckung eine Entwicklung, die in Europa mit der Renaissance begonnen und sich erst im späten 19. Jahrhundert in der Wohnkultur etabliert hat.

7 Heinz Meyer, *Textile Kunst. Zur Kultursoziologie und Ästhetik gewebter und geknüpfter Bilder*, Frankfurt a. M./Berlin/Bern/Brüssel/New York/Oxford/Wien 2000, S. 476.

which she had developed with the textile form, into the areas of dance, interior design, and architecture. She anticipated many ideas that only became widely used in the second half of the 20th century fig. 1.

Weaving, in its original function, is not a mimetic portrayal of nature. Instead, it is based on a complex translation process, a cultivation and structural formation that uses binary vertical-horizontal gridwork to create an abstract visual expanse. The finished textile can be used for various purposes, such as wrapping and covering, keeping warm or absorbing moisture, as can be seen in the many roles it plays: as a blanket or rug on a bed or floor, a structuring wall (as in a tent or Semper's "primitive hut"), an article of clothing (cloak) or an interior decoration (wall hanging).[6] Versatility is a universal characteristic of textiles and fabrics, but with regard to textile typologies, there has been no distinction made between these various functions in cultural history. The transgression of boundaries that had always been intrinsic to the medium is something that is absolutely essential in modern fine arts. Heinz Meyer points out "that in the works of ancient authors, in particular, it is not clear whether they are referring to rugs, blankets, curtains, or wraps used as clothing, or whether they are knotted, woven or knitted. This uncertainty means that when one refers to 'rugs,' it could also mean blankets, curtains, or cloaks."[7]

With this in mind, Anni Albers's Bauhaus wall hangings, which are uncanny in their anticipation of the schematic images of binary computer codes, can be seen as experiments in the fields of creative and functional design. They show that woven textiles played a trailblazing role in demonstrating an independent, abstract concept of form and surface, as well as by making the "serial" category evident in both production and design fig. 2.

The modernist renewal of woven art, which began with Art Nouveau and was continued by the Bauhaus, was accompanied by a growing enthusiasm for non-European rugs, including those from indigenous cultures, Morocco, or Asia. Their two-dimensional designs, with abstract ornamentation and perception orientation, made good counterparts to the geometric or monochrome designs of the 1930s. The interest these textiles inspired at the Bauhaus and among architects of the International Style such as Le Corbusier, is well known.[8]

With their enthusiasm for pre-Columbian textiles, contemporary artists such as Sheila Hicks and Polly Apfelbaum have a connection to the 1930s avant-garde. Apfelbaum had her most recent works made at a traditional weaver's studio in Oaxaca, Mexico, and Hicks took web design as a starting point to develop works of textile art that reclaim an autonomous status between mural, sculpture, and object art fig. 3.

5 Max Bill in the Wikipedia entry on Sophie Taeuber-Arp, https://de.wikipedia.org/wiki/Sophie_Taeuber-Arp (accessed 5/20/2018).

6 For example, the use of rugs to cover floors is a development that began with the Renaissance in Europe and only became established in home décor in the 19th century.

7 Heinz Meyer, Textile Kunst. *Zur Kultursoziologie und Ästhetik gewebter und geknüpfter Bilder*, Frankfurt/Berlin/Bern/Brussels/New York/Oxford/Vienna 2000, p. 476.

8 *Marokkanische Teppiche und die Kunst der Moderne* (Exh. cat. Staatliches Museum für angewandte Kunst, Munich), Stuttgart 2013.

Abb. 2 — Anni Albers, *Orange, Black and White (Dress or Furnishing Fabric)*, 1926/27, (produziert 1965), The Art Institute of Chicago
Fig. 2 — Anni Albers,
Orange, Black and White (Dress or Furnishing Fabric), 1926/27, (produced 1965), The Art Institute of Chicago

Abb. 3 / Fig. 3 — Sheila Hicks, *Ganem*, 1968,
Tate Modern, purchased with funds provided by the Tate Americas Foundation (Latin American Acquisitions Committee) 2014

Mit der Erneuerungsbewegung der Webkunst in der Moderne, die mit dem Jugendstil begonnen hatte und am Bauhaus fortgeführt worden war, ging auch eine aufkommende Begeisterung für außereuropäische, darunter indigene, marokkanische oder asiatische Teppiche einher, deren flächige, abstrakt-ornamentale oder wahrnehmungsorientierte Gestaltungen Pendants zu den geometrischen oder monochromen Entwürfen der 1930er-Jahre bildeten. Das Interesse an diesen Textilien am Bauhaus oder bei Architekten des Neuen Bauens wie Le Corbusier ist bekannt.[8]

Die Begeisterung beispielsweise für vorkolumbianische Textilien verbindet zeitgenössische Künstlerinnen wie Sheila Hicks oder auch Polly Apfelbaum mit der Avantgarde der 1930er-Jahre. Apfelbaum ließ ihre neuesten Arbeiten in einem traditionellen Webatelier im mexikanischen Oaxaca fertigen, und Hicks entwickelte ausgehend vom Webdesign textile Kunstwerke, die einen autonomen Status zwischen Wandbild, Plastik und Objektkunst reklamieren [Abb. 3].

EINE NEUE BILDWIRKEREI: GOBELINS UND TAPISSERIEN DER POSTMODERNE

Die avantgardistischen Textilkunstentwürfe der Moderne hinter sich lassend und dabei die Tradition von Tapisserie und Webkunst wiederaufnehmend, die zur Bildwirkerei der Renaissance zurückführt, gingen Künstlerinnen – und zusehends auch Künstler – ab den 1970er-Jahren daran, im Textil Werke zu schaffen, mit denen die Möglichkeiten des Webvorgangs ausgelotet und in neue künstlerische Bildprozesse übersetzt wurden. Ingrid Wiener beschäftigte sich mit dem Weben als einem abstrakten Bildgenerierungsprozess, in den „auch eingearbeitet werden kann, was man nicht sieht“[9]. So fand sie im Medium Gobelin einen freien künstlerischen Ausdruck, in dem Seh- und Wahrnehmungsvorgänge in die textile Bildsprache eingearbeitet wurden. Ein schönes Beispiel dafür ist der Wandteppich *Bertorelli ‚B‘* [Abb. 4] (1974–76, gemeinsam mit VALIE EXPORT), in dem nicht nur eine von Dieter Roth spontan auf einer weißen Serviette skizzierte Katze mit verwoben wurde, sondern auch die Flecken, Gebrauchsspuren und lichtabhängige Schattenwürfe darauf – kurz: „das Einarbeiten von Bildern aus der Lebenswirklichkeit in das Gewebe“[10]. Aber nicht nur das: Es ging bei dieser realistischen Malerei am Webstuhl immer auch um das reflexive Moment, die Rückbezüglichkeit, die in dieser besonderen Arbeitsweise, im Verfahren mit Kette und Schuss, charakteristisch ist.

Auf eine ganz andere Weise arbeitete auch Hildegard Absalon an einer Verselbstständigung des Mediums Textil, indem sie alltägliche Gegenstände bzw. Ausschnitte aus ihrer Lebensumgebung in überraschende Trompe l’œil-Tapisserien (mit bröckelndem Mauerwerk beispielsweise) umsetzte. Die Erneuerung der Bildwirkerei war bei Absalon ein Prozess, mit dem Medium künstlerisch autark – weg von der häuslichen Domestizierung als Handarbeit – zu arbeiten und dabei auch eine Rückeroberung des

8 *Marokkanische Teppiche* 2013 (wie Anm. 3).

9 In Anlehnung an den Titel des Ausstellungskatalogs *Man darf auch weben, was man nicht sieht. Die Teppiche von Ingrid Wiener und Dieter Roth*, hg. von Karin Schick, Bielefeld/Leipzig 2008.

10 Schick 2008 (wie Anm. 9), S. 9.

A NEW KIND OF TAPESTRY: GOBELINS AND POSTMODERN TAPESTRIES

In the 1970s, female artists—and a few male ones—left the modern, avant-garde designs of textile art behind and took up the tradition of tapestry and weaving that goes back to the Renaissance. They began to create textile works that incorporated the possibilities of weaving into new pictorial processes. Ingrid Wiener focused on weaving as an abstract method of image generation into which "you can also incorporate things you don't see."[9] Through the medium of the Gobelin tapestry, she found a mode of free artistic expression in which the processes of seeing and perceiving were incorporated into the pictorial language of the textile. A good example of this is the wall hanging *Bertorelli 'B'* (1974–76, with VALIE EXPORT), on which a cat sketched on a white napkin by Dieter Roth is woven into the piece along with its spots, wear and tear, and light-dependent shadows fig. 4.[10] But there was more: this realistic painting at the loom was always also about the reflexive moment, the reflexiveness that is characteristic of this particular kind of work, in the process of warp and weft.

Hildegard Absalon took a different approach in bringing textiles into their own as a medium by creating surprising trompe l'œil tapestries based on everyday objects or parts of her surroundings (for example, with crumbling masonry). For Absalon, the renewal of tapestry was a way to work independently with the medium free from the domestic limitations on crafts and to reclaim furniture design. With her various screens with underlying symbolism, she anticipated the significance of textiles in contemporary fine art in objects and spatial installations fig. 5.

One important aspect of these artists is that in creating textiles they not only produced autonomous, subject-defined pictorial works as counterparts to anonymous crafts, but they were also weavers themselves and transformed the medium by working within it. This is a contrast to many artists working in the textile medium who still often have their work produced in traditional weaving studios (which not infrequently rely on poorly paid women to do the work). In Absalon and Wiener's generation, for example, the artist Alighiero Boetti worked with Afghan textile workshops for his series of wall hangings and rugs, which became very famous. The figurative painter Sandro Chia from the same generation of artists designed a floral floor rug that evoked a two-dimensional image space in a similar way to Henri Matisse's fabric-clad spatial objects fig. 6. Matisse, in particular, is often deemed a paradigmatic figure for the influence of textiles in the process of gaining autonomy for modern art and design during the 20th century, taking into account the theoretical approaches of Alois Riegl and Gottfried Semper.[11]

9 Taken from the title of the exhibition catalogue *Man darf auch weben, was man nicht sieht. Die Teppiche von Ingrid Wiener und Dieter Roth*, ed. Karin Schick, Bielefeld/Leipzig 2008.

10 Schick 2008 (see note 9), p. 9.

11 Cf. Regine Pranges, "Vom textilen Ursprung der Kunst oder: Mythologien der Fläche bei Gottfried Semper, Alois Riegl und Henri Matisse," in: Sabeth Buchmann / Rike Frank (eds.), *Textile Theorien der Moderne*, Berlin 2015.

Möbeldesigns zu forcieren. In verschiedenen Paravents mit hintergründiger Symbolik nahm sie die Bedeutung des Textilen in der zeitgenössischen bildenden Kunst in Objekten und raumbezogenen Installationen vorweg Abb. 5.

Ein ganz wichtiger Aspekt dieser Künstlerinnen ist, dass sie im textilen Schaffen nicht nur autonome, subjektdefinierte Bildwerke als Pendants zur anonymen Handarbeit herstellten, sondern auch selbst Weberinnen waren und das Medium quasi von innen her transformierten. Dies im Gegensatz etwa zu den Positionen vieler im Medium Textil arbeitender Künstler, die ihre Werke oft nach wie vor in traditionell organisierten Webstudios produzieren lassen (die hier nicht selten wieder vorwiegend auf schlecht bezahlte Frauenarbeit zurückgreifen). Aus der Generation von Absalon und Wiener ist es beispielsweise ein Künstler wie Alighiero Boetti, der für seine sehr bekannt gewordene Serie von Wandbehängen und Teppichen mit afghanischen Textilwerkstätten zusammenarbeitete. Der figurative Maler Sandro Chia aus derselben Künstlergeneration entwarf einen floralen Bodenteppich, durch den ein flächiger Bildraum ähnlich wie in den umhüllenden Raumstrukturen bei Henri Matisse evoziert wird Abb. 6. Gerade Matisse wird als paradigmatische Figur für den Einfluss des Textilen in Gestaltungen der Moderne immer wieder genannt, wenn mit Blick auf die theoretischen Ansätze von Alois Riegl und Gottfried Semper die eminente Rolle von Textilien im Prozess der Autonomwerdung des Kunstwerks im 20. Jahrhundert fokussiert wird.[11]

EIN EKLEKTISCHES SPIEL MIT TECHNIK UND HANDWERK: IRONIE, DANDYTUM, SUBKULTUR UND QUEERNESS

Mit dem Eklektizismus der 1980er-Jahre begann auch die Ära der Eigenständigkeit textiler Techniken und Materialien verbunden mit der endgültigen Abkoppelung vom „Stigma“ des Kunstgewerbes. Damit wurde auch der Weg frei für vielfältige semiotische Bedeutungsverschiebungen, die das Textile für politische, alternative oder genderdeterminierte und queere Subtexte und Botschaften öffneten.

Helmut Federle und mit ihm viele Künstler der Post-Minimal Art und des Neo-Geo wie Rudolf Stingel, John Armleder oder Sigmar Polke hinterfragten in ihren Textilentwürfen die Legitimität dominanter Narrative der modernen Kunst und verwendeten in ihren oft eher als Randprojekte betriebenen Teppichen das Medium Textil, um damit den Kanon der Kunstgeschichte kritisch oder ironisch zu reflektieren Abb. 7. Rosemarie Trockel benutzte textile Verfahren wie Weben und Stricken auch, um eine ironisch gefärbte feministische Gegenerzählung zu stereotypen Geschlechterrollen zu etablieren. Ähnlich bedeutete auch die Aneignung dieser lange Zeit als „Hausfrauenkunst“ gebrandmarkten Techniken eine bewusste Kontextverschiebung für queere Künstlerinnen und Künstler, um sich mit einem Nichtmainstream-Kunstmedium identifizieren zu können. Rosalind Krauss spricht in anderem Zusammenhang vom „ästhetischen

11 Vgl. Regine Pranges, „Vom textilen Ursprung der Kunst oder: Mythologien der Fläche bei Gottfried Semper, Alois Riegl und Henri Matisse“, in: Sabeth Buchmann / Rike Frank (Hg.), *Textile Theorien der Moderne*, Berlin 2015.

Abb. 4 — Dieter Roth, Ingrid Wiener, VALIE EXPORT, *Gobelin (Bertorelli ‚B')*, 1974–76, Kunsthaus Zürich, 1981
Fig. 4 — Dieter Roth, Ingrid Wiener, VALIE EXPORT, *Gobelin (Bertorelli 'B')*, 1974–76, Kunsthaus Zürich

Abb. 5 / Fig. 5 — Hilde Absalon, *Paravent mit Zwangsjacke*, 1993, Courtesy Claudius Jelinek

Abb. 6 / Fig. 6 — Sandro Chia, *If You Are Born To Be Hanged Then You Will Never Be Drowned*, 1989, Courtesy Emilio Mazzoli, Modena

Abb. 7 — Helmut Federle, *Ohne Titel*, 2001, Sammlung Peter Blum, New York
Fig. 7 — Helmut Federle, *Untitled*, 2001, Collection of Peter Blum, New York

Abb. 8 / Fig. 8 — Francesco Vezzoli, *Homage to Josef Albers - Hommage to the square (Fade to grey)*, 1995, Galerie Neu, Berlin

AN ECLECTIC GAME WITH TECHNOLOGY AND CRAFTWORK: IRONY, DANDY CULTURE, SUBCULTURE, AND QUEERNESS

Along with the final removal of the "stigma" of arts and crafts, the eclecticism of the 1980s also marked the beginning of the era of independence for textile technologies and materials. This paved the way for a multitude of semiotic shifts, which opened textile work up to alternative political, gender-determined, and queer subtexts and messages.

With their textile designs, Helmut Federle and many artists from the Post-Minimal Art movement and Neo-Geo such as Rudolf Stingel, John Armleder, and Sigmar Polke, questioned the legitimacy of the dominant narrative of modern art. Their rugs, which were often side projects, created an ironic reflection of the canon of art history fig. 7. Rosemarie Trockel used textile techniques such as weaving and knitting to establish an ironic feminist counternarrative to stereotypical gender roles. In a similar way, the appropriation of these techniques, long dismissed as "housewife art," signified a conscious contextual shift that enabled queer artists to identify themselves with an art medium that was outside the mainstream. In a different context, Rosalind Krauss speaks of the "potential of an obsolete medium for aesthetic resistance," which could also be said for textiles.[12] For example, Francesco Vezzoli embroidered copies of Josef Albers's geometric portraits. The result was a highly modernistic work, not only in the artistic handiwork itself—an aspect that every work of art evinces in its own way—but also in its examination of the character of domestic work and the assignment of male and female gender roles fig. 8.

SHIMMERING CROSSOVERS: THE END OF THE "APPLIED ARTS" STIGMA

Since 2000, there has been an explosive increase in artists' adoption and production of the textile medium. At the same time, the typologies are becoming more mixed and eclectic. The boundaries between the individual subgenres are blurring and disappearing, thanks in large part to the use of time-honored textile traditions.

David Chalmers Alesworth, for example, played with the idea of the rug as an archive or garden by embroidering hand-drawn city maps onto old, traditional ornamental rugs. The rugs here are used as ready-mades, and their rich imagery, with their interplay of Classical ideas of the paradise garden, leads to the city labyrinths of a 21st-century psychogeography. Placing a rug on the floor also typically increases the feeling of diving into a space set apart, of stepping into an immersive island of art fig. 9.

12 Rosalind Krauss, *A Voyage on the North Sea: Art in the Age of the Post-Medium*, London/New York 2000.

Abb. 9 / Fig. 9 — David Chalmers Alesworth,
Hyde Park, Kashan 1862, 2011,
Fundación AMA, Chile

Abb. 10 / Fig. 10 — Theaster Gates,
Civil Rights Throw Rug, 2011

Abb. 11 / Fig. 11 — Verena Dengler,
Welcome to the Continent (Diddl), 2014,
Courtesy Galerie Meyer Kainer, Wien

Widerstandspotenzial eines obsoleten Mediums“ – ein Befund, der auch auf das Textile zutrifft.[12] Francesco Vezzoli stickte beispielsweise die geometrischen Gemälde von Josef Albers nach und verwies dadurch eine hochmodernistische Arbeit nicht nur in den Bereich des Kunsthandwerks – ein Aspekt, den jedes Kunstwerk in seiner Art für sich auch aufweist –, sondern hinterfragte damit auch den Charakter häuslicher Arbeitsleistungen und die Zuschreibung von Männer- bzw. Frauenrollen [Abb. 8].

MIT FLIRRENDEN ÜBERGÄNGEN: VOM ENDE DES STIGMATISIERTEN ANGEWANDTEN

Seit dem Jahr 2000 explodiert die Zahl textiler Aneignungen und Produktionen in der Kunst. Die Typologien werden hybrider und eklektischer zugleich. Die Grenzen zwischen den einzelnen Subgenres verschwimmen und verschwinden nicht zuletzt auch durch den Einbezug von alten Textiltraditionen.

Mit der Idee des Teppichs als Archiv oder Garten arbeitete beispielsweise David Chalmers Alesworth, indem er alte traditionelle ornamentale Teppiche mit handgezeichneten Stadtplänen bestickte. Die Teppiche sind hier als Readymades verwendet, und ihre reiche Metaphorik führt in einem Wechselspiel von antiken Ideen des Paradiesgartens zu den Stadtlabyrinthen einer Psychogeografie des 21. Jahrhunderts. Die Lage eines Teppichs auf dem Boden verstärkt dabei typischerweise das Gefühl des Eintauchens in einen abgehobenen Raum – das Betreten eines immersiven Kunstarchipels [Abb. 9].

Im weiteren Feld von Stadtplanung, Ökologie und politischem Aktivismus entstanden auch die Teppiche von Theaster Gates: Seine *Firehose Rugs* bestehen aus alten Feuerwehrschläuchen, die an einen gewalttätigen Übergriff mit rassistischem Hintergrund im Jahr 1963 in Alabama erinnern [Abb. 10]. Wie aktuell in einem zeitgenössischen politischen Rahmen auch die textile Urdebatte immer noch ist, zeigen die Arbeiten von Verena Dengler, in denen Genderthematiken und die damit nach wie vor verbundene Stigmatisierung des handwerklichen Schaffens problematisiert werden. Ihre postfeministischen Appropriationen durchlaufen hybride Anwendungen in unterschiedlichsten Bereichen: Ein Teppichentwurf kann dabei sowohl ein Statement für die freie künstlerische Entfaltung als auch ein kritischer Beitrag zu einer wiederaufgenommenen Expressionismusdebatte sein [Abb. 11].

Einerseits ist die Textilkunst seit den Nullerjahren selbst zum Signum eines neuen Biedermeier geworden, dessen Hauptmerkmale der Rückzug ins Private und eine Besinnung auf traditionelle Handarbeiten wie Stricken, Sticken, Häkeln oder Nähen sind. Andererseits zeigte sich deren Zeitgeistigkeit gerade in einer subversiven Umdrehung von konservativen Werten, die damit verbunden waren: Guerilla Knitting, Pornostickereien oder gehäkelte Genitalien sind in diesem Kontext zu verstehen. Die

12 Rosalind Krauss, *A Voyage on the North Sea: Art in the Age of the Post-Medium*, London/New York 2000.

Abb. 12 / Fig. 12 — Channing Hansen, *ALGO 54 3.1.4.1*, 2015, Courtesy of the artist & Marc Selwyn Fine Art, Beverly Hills

Abb. 13 / Fig. 13 — Alexandra Kehayoglou, *Sendero 4*, 2015, Courtesy of Alexandra Kehayoglou Studio

elastischen Maschenballungen der neoalchemistischen Strickobjekte von Channing Hansen etwa, der mithilfe der eigenen DNA und der Quantenphysik Algorithmen berechnet, nach denen er dann farbenfrohe Wollbilder in riesigem Maschenstrick selbst fertigt, transzendieren diesen Bereich weit weg vom „angewandten Medium“ Abb. 12.

Ein skurriles Teppichobjekt von Alexandra Kehayoglou, dessen Funktionalität nicht mehr näher bestimmt werden kann, demonstriert diese „nachgewandte“ Situation sehr eindrücklich: Handelt es sich dabei um ein Kunstobjekt auf dem Boden oder um ein sanftes Massagetool für mitgenommene Füße Abb. 13?

Teppiche sind Schauplätze eines Paradigmenwechsels vom angewandten zum „nachgewandten“ Medium.[13] Sie spielten dabei eigentlich eine nicht zu unterschätzende Rolle im Haus der westlichen Kunstentwicklung des 20. Jahrhunderts (man stelle sich dabei ein Gebäude in der Art des Wiener Museums für angewandte Kunst vor: errichtet als Haus der Industrieentwicklung, aber heute u. a. auch in Verwendung als Kunstmuseum und wissenschaftliche Anstalt), blieben aber immer im Hoftrakt des Haupthauses angesiedelt, dort, wo mit neuen Techniken und Wahrnehmungsmustern experimentiert werden konnte. Im Hinterhaus konnte ungestört getüftelt, laboriert und ausprobiert werden. Teppiche, Wandbehänge und weitere textile Gestaltungen dienten bisher den anderen Künsten im Haupthaus: der Malerei, der Objektkunst, der Architektur. Aber seit einigen Jahren sind sie nun environmental geworden: Gemeinsam mit ihren handwerklichen Schwesterkünsten sind sie ins Haupthaus mit der repräsentativen Fassadenbetitelung „Kunst“ übersiedelt.[14]

13 Das Adjektiv „nachgewandt“ (das laut Duden nicht existiert) ist eine Wortbildung, die ich hier in Analogie zu „postangewandt“ – denn dies ist tatsächlich damit gemeint – verwende. Mit dem lateinischen Adverb „post“ (= nachher) wird verdeutlicht, dass das Medium Textil nun in eine neue Ära eintritt. Gleichzeitig ist der Begriff ein Wortspiel, das so nur im Deutschen möglich ist und die verschiedenen Bedeutungsebenen von „-gewandt“ entfaltet.

14 Für wertvolle Hinweise bei der Recherche zu diesem Text danke ich Simonetta Ferfoglia.

Theaster Gates has also created rugs that encompass the broader fields of city planning, ecology, and political activism: his *Firehose Rugs* are made from old fire hoses, which recall a racist assault on African-American civil-rights activists in Alabama in 1963 fig. 10. The works of Verena Dengler deal with the problems of gender issues and the stigma that still clings to arts, and show how relevant the old debate over textiles remains in a contemporary political context. Her post-feminist appropriations run through hybrid usages in many different areas: a rug design can be both a statement for free artistic development and a critical contribution to restarting the debate over Expressionism fig. 11.

On one hand, textile art since the early 2000s has become the symbol of a new Biedermeier era, the chief characteristics of which are withdrawal into the private sphere and respect for traditional crafts such as knitting, embroidery, crochet, and sewing. On the other hand, their subversive reversal of the conservative values that once adhered to these crafts is in tune with the spirit of the times: guerilla knitting, porno embroidery, and crocheted genitalia can be seen in this context. The elastic agglomerations of stitches in Channing Hansen's neoalchemist knitted objects (he takes his own DNA and algorithms from quantum physics, then turns them into colorful "knitted paintings" with a gigantic purl stitch) by far transcend the original "practical medium" fig. 12.

An offbeat piece of rug art by Alexandra Kehayoglou, the functionality of which is difficult to determine, demonstrates this "post-applied art" situation in a very impressive way: is it an art object on the floor, or a gentle massage tool for sore feet fig. 13?

Rugs have been the setting for a paradigm shift from an applied-art to a post-applied art medium.[13] They have played a role in the development of western art in the 20th century that should not be underestimated. If we think of the art world as a building such as the Vienna Museum of Applied Arts—built as a venue for industrial development, but today used as an art museum and research institution, among other things)—these art forms have always been relegated to a side wing. In this annex, it was possible to tinker, toil away, and experiment in peace with new techniques and patterns of perception. Rugs, tapestries, and other textile works once had a subordinate relationship to the other arts in the main building: painting, object art, architecture. But in recent years they have become part of the atmosphere: along with their sister crafts, they have moved into the main building, where the inscription on the façade reads "Art."[14]

13 Post-applied art is based on the German neologism "nachgewandt," which I use analogously with "postangewandt." The Latin adverb "post" refers to entering a new era in the medium of textiles. At the same time, the concept of "nachgewandt" plays on various interpretations of the German word "gewandt," such as "turned" or "skilled," which are only relevant in German.

14 I would like to thank Simonetta Ferfoglia for her useful guidance in the research for this text.

APPENDICES / ANHANG

ACKNOWLEDGEMENTS / DANKSAGUNG

I was just listening to a 1979 remix by Grandmaster Flash of "Magic Carpet Ride" and it took me through the motion of a journey—time and travel—that culminates with my present exhibition *Happiness Runs*. It has been a mystical adventure for me, and (surprisingly) not bumpy at all. This exhibition has evolved into a mini-survey, an overview of a body of work that has been central to my practice over the six years since the time I spent at the American Academy in Rome. It brings together for the first time all of the floor-based work from six installations, exhibitions in galleries and museums on different continents, each with its own context, constraints, and possibilities. Assembling these fragments into a new whole has been a huge task, and I am grateful to many who helped along the way.

This work would not exist in the first place without the incredible support I was given in each of the six individual installations. This includes assistants in the studio, the weavers in Mexico, and all of the people and institutions who helped realize this work along the way, which has never been easy or straightforward. But pride of place goes to Stella Rollig for her belief in the work, and for seeing a new potential. When I first visited Belvedere 21 two years ago, the expansive floor space suggested the idea of bringing together these six individual stories onto a single installation; however, the space was cut up by walls. As we walked through, Stella saw this as a possibility to open up the space: both physically and metaphorically. Thank you for tearing down the walls for me.

So, big thank yous to Johanna Hofer for her diligence, and to the rest of the Belvedere team. To Rosemarie Schwarzwälder and Deniz Pekerman at Galerie nächst St. Stephan. To Jane Hamlyn and Benedicte Delay at Frith Street Gallery, and to Alexander Gray Associates for their constant support. To the incredible weavers in Oaxaca, Jerónimo Vásquez Gutiérrez and his studio, who fabricated all of the rugs shown here. From the six previous installations: Lucien Terras and Herve Mikaeloff, who facilitated the *NirVana* project; DJ Hellerman at the Burlington Art Center for *Evergreen Blueshoes*; Kate McNamara at the Ben Maltz Gallery, Otis College of Art and Design who curated *Face (Geometry) (Naked) Eyes*. *Dubuffet's Feet* was originally shown at Frith Street Gallery and *The Potential of Women* at Alexander Gray Associates; thank you Jane and Alex. A special thanks to Patrick Ronse at Be-Part. *Deep Purple, Red Shoes* was a major collaborative effort, and it gave me confidence in this work going forward. Thank you to Stella, Johanna, Eva Lahnsteiner and Ivonne Stark for the beautiful catalogue; and to the writers for their insightful texts: Johanna Hofer, Stella Rollig, Patricia Grzonka, Kate McNamara, and Bob Nickas.

Finally, three people who have been part of this project for many years deserve special thanks: Melissa Timarchi—without you none of this would have happened; Dan Cole—keeps the music flowing. For Stan Allen. Very special thanks.

Polly Apfelbaum
New York, August 8, 2018

Gerade habe ich mir Grandmaster Flashs *Magic Carpet Ride*-Remix von 1979 angehört. Er nahm mich mit auf eine (zeitliche und geografische) Reise, die in *Happiness Runs* gipfelte. Sie war für mich ein mystisches Abenteuer und (überraschenderweise) gar nicht holprig. Diese Ausstellung hat sich zu einer Mini-Retrospektive entwickelt, einem Überblick über eine Werkgruppe, die in den sechs Jahren seit meinem Aufenthalt an der American Academy in Rom eine zentrale Rolle in meinem Schaffen einnimmt. Sie führt erstmals sämtliche Bodenarbeiten aus sechs Installationen und Ausstellungen zusammen, die – mit ihren je eigenen Kontexten, Beschränkungen und Möglichkeiten – in Galerien und Museen verschiedener Kontinente gezeigt wurden. Diese Teile zu einem neuen Ganzen zusammenzufügen, war eine Heidenaufgabe, und ich habe vielen zu danken, die dabei mitgeholfen haben.

Erstens einmal würden diese Arbeiten gar nicht existieren ohne die unglaubliche Unterstützung, die ich bei jeder der sechs Einzelinstallationen erfuhr: ohne die Assistentinnen und Assistenten in meinem Atelier, die Weberinnen und Weber in Mexiko und all die Personen und Institutionen, die diese Arbeiten umzusetzen halfen, was nie ganz komplikationslos vonstatten ging. Der Ehrenplatz aber gebührt Stella Rollig für ihren Glauben an die Arbeiten und dafür, dass sie ein neues Potenzial darin erkannte. Als ich vor zwei Jahren erstmals im Belvedere 21 war, bot sich aufgrund der riesigen Grundfläche an, die sechs Einzelgeschichten zu einer einzigen Installation zu verbinden. Allerdings war der Raum bei meinem Besuch durch Wände zerschnitten. Während der Begehung sah Stella das als eine Gelegenheit, den Raum sowohl physisch als auch metaphorisch zu öffnen. Danke für das Abreißen der Wände.

Ganz große Dankeschöns gehen an Johanna Hofer für ihre Unermüdlichkeit und Sorgfalt, wie auch an den Rest des Belvedere Teams. An Rosemarie Schwarzwälder und Deniz Pekerman von der Galerie nächst St. Stephan. An Jane Hamlyn und Benedicte Delay von der Frith Street Gallery und an Alexander Gray Associates für ihre ständige Unterstützung. Sowie an die unglaublichen Weberinnen in Oaxaca, das Studio Jerónimo Vásquez Gutiérrez, wo sämtliche hier gezeigten Teppiche erzeugt wurden. Von den sechs früheren Installationen danke ich: Lucien Terras und Herve Mikaeloff, die das *Nirvana* Projekt ermöglicht haben; DJ Hellerman vom Burlington Art Center für *Evergreen Blueshoes*; Kate McNamara von der Ben Maltz Gallery am Otis College of Art and Design, die *Face (Geometry) (Naked) Eyes* kuratierte. *Dubuffet's Feet* wurde ursprünglich an der Frith Street Gallery und *The Potential of Women* bei Alexander Gray Associates gezeigt; danke Jane und Alex. Ein besonderer Dank gebührt Patrick Ronse von Be-Part: *Deep Purple, Red Shoes* war ein wichtiges kollaboratives Unternehmen, das mir die Sicherheit gab, dass es mit dieser Arbeit weitergeht. Danke Stella, Johanna, Eva Lahnsteiner und Ivonne Stark für den schönen Katalog; und den Autorinnen und Autoren – Johanna, Stella, Patricia Grzonka, Kate McNamara und Bob Nickas – für die erhellenden Texte.

Zum Schluss möchte ich drei Personen, die seit vielen Jahren Teil dieses Projekts sind, ganz besonders danken: Melissa Timarchi – ohne dich hätte nichts davon stattgefunden; Dan Cole – hält die Musik am Laufen. Und Stan Allen. Vielen Dank.

Polly Apfelbaum
New York, 8. August 2018

BIOGRAPHY / BIOGRAFIE

POLLY APFELBAUM

Geboren —— Born 1955, Abington, PA, US
Lebt und arbeitet —— Lives and works in New York City

EDUCATION —— AUSBILDUNG

BFA, Tyler School of Art, Elkins Park, PA, US
SUNY Purchase College, Purchase, NY, US

Polly Apfelbaum has shown consistently in the United States and internationally since her first one person show in 1986. Her oeuvre is distinguished by a hybridized aesthetic that blends together traditions of sculpture, painting, craft and installation. Color is the key element in her work, both visually and structurally. She deploys a wide variety of media in order to explore the boundaries between art and craft. Her work is situational, engaged in a dialogue with architecture and site. She adds materials, shapes, and words to the traditional materials of abstraction.

Seit ihrer ersten Personale im Jahr 1986 ist Polly Apfelbaum durch ihre rege Ausstellungstätigkeit aus der amerikanischen wie auch der internationalen Kunstszene nicht mehr wegzudenken. Charakteristisch für ihre Arbeiten ist eine hybride Ästhetik, in der Traditionen aus Bildhauerei, Malerei, Handwerk und Installation ineinander übergehen. Farbe, visuell wie auch formal, ist das Schlüsselelement in Polly Apfelbaums Schaffen. Die Künstlerin bedient sich einer Vielzahl von Medien, um die Grenzen zwischen Kunst und Handwerk auszuloten. Ihre ortsspezifischen Arbeiten stehen stets im Dialog mit der Umgebung, dem Standort und der Architektur. Polly Apfelbaum erweitert die traditionellen Materialien der Abstraktion und stellt ihnen neue Materialien, Formen und Wörter zur Seite.

SELECTED PRIZES — AUSZEICHNUNGEN (AUSWAHL)

Joseph H. Hazen Rome Prize in Visual Arts, American Academy in Rome
Peter S. Reed Artist Grant
Arts and Letters Award, American Academy of Arts and Letters
Joan Mitchell Grant
Diebenkorn Teaching Fellowship, San Francisco Art Institute and Headlands Center for the Arts
Anonymous Was A Woman Grant
Artist's Fellowship in Sculpture, New York Foundation for the Arts
John Simon Memorial Guggenheim Fellowship in Sculpture
Pollock-Krasner Foundation Grant
Artist Grant, Artists Space

SELECTED RESIDENCIES — RESIDENCIES (AUSWAHL)

Residency Fellowship, Yaddo
Residency Fellowship, The MacDowell Colony
Residency Fellowship, Ucross Foundation
Residency Fellowship, The Millay Colony

SELECTED PUBLIC COLLECTIONS — ÖFFENTLICHE SAMMLUNGEN (AUSWAHL)

Armand Hammer Museum of Art, Los Angeles, CA, US
Blanton Museum of Art, Austin, TX, US
Bowdoin College Museum of Art, Brunswick, ME, US
Bronx Museum of Art, Bronx, NY, US
Brooklyn Museum of Art, Brooklyn, NY, US
Cantor Center for Visual Arts at Stanford University, Stanford, CA, US
Carnegie Museum of Art, Pittsburgh, PA, US
Dallas Museum of Art, Dallas, TX, US
Des Moines Art Center, Des Moines, IA, US
Everson Museum of Art, Syracuse, NY, US
FRAC Nord-Pas de Calais, Dunkerque, FR
Frances Young Tang Teaching Museum and Art Gallery at Skidmore College, Saratoga Springs, NY, US
Henry Art Gallery, Seattle, WA, US
Israel Museum, Jerusalem, IL
Kemper Museum of Contemporary Art, Kansas City, MO, US
Magasin III, Stockholm, SE
Minneapolis Museum of Art, Minneapolis, MN, US
Musee d'Art Moderne de la Ville de Paris, FR
Museum of Contemporary Art, Chicago, IL, US
Museum of Modern Art, New York, NY, US
National Academy Museum, New York, NY, US
Nerman Museum of Contemporary Art, Overland Park, KA, US
New Mexico Museum of Art, Santa Fe, NM, US
Orange County Museum, CA, US
Pérez Art Museum, Miami, FL, US
Pennsylvania Academy of Fine Art, Philadelphia, PA, US
Philadelphia Museum of Art, Philadelphia, PA, US
Princeton Art Museum, Princeton, NJ, US
RISD Museum of Art, Providence, RI, US
Speed Art Museum, Louisville, KY, US
Whitney Museum of American Art, New York, NY, US
Williams College Art Museum, Williamstown, MA, US
Worcester Art Museum, Worcester, MA, US
Yale University Art Gallery, New Haven, CT, US

SELECTED SOLO SHOWS — EINZELAUSSTELLUNGEN (AUSWAHL)

2018
Waiting for the UFOs (a space between a landscape and a bunch of flowers), Ikon Gallery, Birmingham, UK, curated by Jonathan Watkins
Happiness Runs, Belvedere 21, Wien — Vienna, AT, curated by Stella Rollig

2017
Dubuffet's Feet, My Hands, Frith Street Gallery, London, UK
The Potential of Women, Alexander Gray Associates, New York, NY, US

2016
Face (Geometry) (Naked) Eyes, Ben Maltz Gallery, Otis College of Arts and Design, Los Angeles, CA, US, curated by Kate McNamara

2015
Deep Purple, Red Shoes, Be-Part, Waregem, BE, curated by Patrick Ronse

2014
Nevermind: Work from the 90's, Worcester Art Museum, Worcester, MA, US, curated by Susan L. Stoops
A Handweaver's Pattern Book, Clifton Benevento, New York, NY, US
Evergreen Blueshoes, Burlington City Arts, Burlington, VT, US
Color Stations, Lumber Room, Portland, OR, US, curated by DJ Hellerman

2013
Second that Emotion, Mumbai Art Room, Mumbai, IN

2011
Haunted House, Amden, CH, curated by Dr. Roman Kurzmeyer

2010
Stax, Inaugural Show, Carlow Visual Center for Contemporary Art, Carlow, IE, curated by Carissa Farrell

2009
Anything Can Happen in a Horserace, Milton Keynes Gallery, Milton Keynes, UK, curated by Michael Stanley

2005
Good and Plenty, Galerie nächst St. Stephan, Wien — Vienna, AT

2004
Crazy Love, Love Crazy, Contemporary Art Museum, St. Louis, MO, US, curated by Paul Ha

2003
Polly Apfelbaum (mid-career survey), Institute of Contemporary Art, Philadelphia, PA, US, curated by Claudia Gould and Ingrid Schaffner
Contemporary Arts Center, Cincinnati, OH, US, 2004
The Kemper Museum of Contemporary Art, Kansas City, MO, US, 2004

2000
Skin and Bones, Bowdoin College Museum of Art, Brunswick, ME, US, curated by Alison Ferris

1998
Reckless, Museum of Contemporary Art, Kiasma, Helsinki, FI, curated by Maaretta Jaukkuri and Peter Nyberg

1997
The Night, Walter and McBean Galleries, San Francisco Art Institute, San Francisco, CA, US, curated by Jeanie Weiffenbach

GROUP SHOWS —— GRUPPENAUSSTELLUNGEN

2018

Pattern and Decoration. Ornament as Promise, Ludwig Forum für Internationale Kunst, Aachen, DE (travels to mumok. Museum moderner Kunst Stiftung Ludwig Wien, Wien —— Vienna, AT)

Taurus and the Awakener, David Kordansky Gallery, Los Angeles, CA, US

PLAY — City Circuit for Contemporary Art, PLAY, Kortrijk, BE, curated by Hilde Teerlinck and Patrick Ronse

2017

Wall to Wall: Carpets by Artists, Katonah Museum of Art, Katonah, NY, US, curated by Dr. Cornelia Lauf

L'art dans les chapelles, Chapelle Saint-Jean, Le Sourn, FR, curated by Eric Suchère

2016

The Sound of Ceramics: Polly Apfelbaum and Wang Lu, Cohen Gallery at Brown University, Providence, RI, US

An Irruption of the Rainbow: Color in 20th-Century Art, LACMA, Los Angeles, CA, US, curated by Carol Eliel

Making and Unmaking, Camden Arts Centre, London, UK, curated by Duro Olowu

2015

3 Graces, Everson Museum of Art, Syracuse, NY, US, curated by Elizabeth Dunbar

Pathmakers: Women in Art, Craft, and Design, Midcentury and Today, National Museum of Women in the Arts, Washington, DC, US

Pretty Raw: After and Around Helen Frankenthaler, Rose Art Museum, Waltham, MA, US, curated by Katy Siegel

2014

For the Love of Gene Davis: Polly Apfelbaum, Dan Cole, Temple Contemporary, Philadelphia, PA, US, curated by Rob Blackson

2013

Miss Dior, Galerie Courbe du Grand Palais, Paris, FR

Shanghai Sculpture Art Space, Shanghai, CN, 2014

Ullens Center for Contemporary Art, Beijing, CN, 2015

2012

Regarding Warhol: Fifty Artists, Fifty Years, The Metropolitan Museum of Art, New York, NY, US

The Andy Warhol Museum, Pittsburgh, PA, US, curated by Marla Prather

2009

Boden und Wand / Wand und Fenster, Helmhaus, Zürich —— Zurich, CH, curated by Dr. Roman Kurzmeyer

Besides, With, Against and Yet – Abstraction and the Ready-made Gesture, The Kitchen, New York, NY, US

2008

Notations: the Closing Decade, Philadelphia Museum of Art, Philadelphia, PA, US

2007

Lines, Grids, Stains, Words, The Museum of Modern Art, New York, NY, US

Fundação de Serralves Porto, Porto, PT, 2008

Museum Wiesbaden, Wiesbaden, DE, 2008, curated by Christian Rattemeyer

Comic Abstraction: Image Breaking, Image Making, The Museum of Modern Art, New York, NY, US, curated by Roxana Marcoci

Like Color in Pictures, Aspen Art Museum, Aspen, CO, US, curated by Heidi Zuckerman

2005

Extreme Abstraction, Albright-Knox Art Gallery, Buffalo, NY, US, curated by Louis Grachos and Claire Schneider

2004

The Shape of Colour: Excursions in Colour Field, The Art Gallery of Ontario, Toronto, CA, curated by David Moos

Łódź, Biennale, Łódź, PL, curated by Lilly Wei

A Kind of Bliss, The Drawing Room, London, UK

Mead Gallery, University of Warwick, Coventry, UK, curated by Helen Legg, Kate MacFarlane, Katharine Stout

Flowers Observed, Flowers Transformed, The Andy Warhol Museum, Pittsburgh, PA, US, curated by John Smith

Settlements, Musée d'art moderne, La Terrasse, Saint-Étienne, FR, curated by Lóránd Hegyi

2003

Bienal de Valencia, vacant lots, Valencia, ES, curated by Lóránd Hegyi

2002

The Eye of the Beholder, Dundee Contemporary Arts, Dundee, UK, curated by Katrina Brown

2001

As Painting: Division and Displacement, Wexner Center for the Arts, Columbus, OH, US, curated by Philip Armstrong, Laura Lisbon, Stephen Melville

Operativo, Museo Rufino Tamayo, Mexico City, MX, curated by Tobias Ostrander

Patterns: Between Object and Arabesque, Kunsthallen Brandts Klædefabrik, Odense, DK

Pori Art Museum, Pori, FI, 2002, curated by Lene Burkard

Sculpture as Field, Kunstverein Göttingen, DE, curated by Julia Otto and Nina Zimmer

1999

Abstract Painting, Once Removed, Contemporary Arts Museum, Houston, TX, US

The Kemper Museum of Contemporary Art, Kansas City, MO, US, curated by Dana Friis Hansen

Postmark: An Abstract Effect, Site Santa Fe, Santa Fe, NM, US, curated by Louis Grachos and Bruce W. Ferguson

1998

Hindsight, The Whitney Museum of American Art, New York, NY, US, curated by Thelma Golden and Chrissie Iles

Everyday, 11th Biennale of Sydney, Sydney, AU (organized by Jonathan Watkins)

Simple Form, Henry Art Gallery, University of Washington, Seattle, WA, US, curated by Sheryl Conkelton

1997

Other, 4th Biennale d'art contemporain de Lyon, Lyon, FR, curated by Harald Szeemann

Vraiment: feminisme et art, Le Magasin, Grenoble, FR, curated by Laura Cottingham

1996

Painting – The Extended Field, Magasin 3, Stockholm, SE

Rooseum Center for Contemporary Art, Malmö —— Malmo, SE, 1997, curated by David Neuman and Bo Nilsson

1995

Painting Outside Painting, 44th Corcoran Painting Biennial, Corcoran Museum of Art, Washington, DC, US, curated by Terri Sultan

Tampering: Artists and Abstraction Today, High Museum of Art, Atlanta, GA, US, curated by Susan Krane

Pittura/Immedia, Neue Galerie am Landesmuseum Joanneum, Graz, AT, curated by Peter Weibel

1994

Sense and Sensibility: Women and Minimalism in the 90's, The Museum of Modern Art, New York, NY, US, curated by Lynn Zelevansky

1993

Future Perfect, Heiligenkreuzerhof, Wien —— Vienna, AT, curated by Dan Cameron

1991

Plasstic Fantastic Lover, 'objet a, BlumHelman Warehouse, New York, NY, curated by Catherine Liu

1986

New Uses, White Columns, New York, NY, US

Selections, Artists Space, New York, NY, US, curated by Valerie Smith

AUTHORS — AUTORINNEN UND AUTOREN

Patricia Grzonka

born in St. Gallen (CH), is an art historian and architectural theorist. She lives in Vienna as a critic, curator, and author. She studied art history, ethnology, and church history in Zurich and Rome. In addition to writing for *art, frieze, springerin*, and *Texte zur Kunst*, she is an architecture and art critic for the *Neue Zürcher Zeitung* and *Monopol*, as well as a correspondent for *Kunstbulletin*. Contemporary art and architecture publications have published many of her writings. Patricia Grzonka was a guest professor at the Academy of Fine Arts, Vienna and teaches at the University of Applied Arts, Vienna.

geboren in St. Gallen (CH), ist Kunsthistorikerin und Architekturtheoretikerin. Sie lebt als Kritikerin, Kuratorin und Autorin in Wien. Studium der Kunstgeschichte, der Ethnologie und der Kirchengeschichte in Zürich und Rom. Sie schrieb u. a. für *art, frieze, springerin* und *Texte zur Kunst* und ist Architektur- und Kunstkritikerin für die *Neue Zürcher Zeitung* und *Monopol* sowie Korrespondentin für *Kunstbulletin*. Zahlreiche Veröffentlichungen in zeitgenössischen Kunst- und Architekturpublikationen. Patricia Grzonka war Gastprofessorin an der Akademie der bildenden Künste Wien und unterrichtet derzeit an der Universität für angewandte Kunst Wien.

Johanna Hofer

studied art history and religious studies at the University of Graz. Since 2017, she has been executive assistant to the general director at the Belvedere, where she collaborates on exhibition projects with a focus on contemporary art, most recently *Ines Doujak. Hera, Polly Apfelbaum. Happiness Runs*, and *Donna Huanca. Piedra Quemada*. Previously, she worked at the Museums of the City of Linz (LENTOS Kunstmuseum and NORDICO Stadtmuseum), at the Austrian Sculpture Park at the Universalmuseum Joanneum from 2011 to 2013, and as a freelance consultant for projects at the Institute for Art in Public Space, Styria.

studierte Kunstgeschichte und Religionswissenschaft an der Karl-Franzens-Universität Graz. Seit 2017 ist sie als wissenschaftliche Assistentin der Generaldirektorin am Belvedere tätig, wo sie an Ausstellungsprojekten mit Schwerpunkt zeitgenössische Kunst mitwirkt, zuletzt u. a. an *Ines Doujak. Hera, Polly Apfelbaum. Happiness Runs* und *Donna Huanca. Piedra Quemada*. Davor arbeitete sie in den Museen der Stadt Linz (LENTOS Kunstmuseum und NORDICO Stadtmuseum), von 2011 bis 2013 im Österreichischen Skulpturenpark am Universalmuseum Joanneum sowie als freie Projektmitarbeiterin am Institut für Kunst im öffentlichen Raum Steiermark.

Kate McNamara

is the Director of Galleries at Otis College of Art and Design in Los Angeles, where she has organized recent solo exhibitions with Polly Apfelbaum and Anna Craycroft. Previously, she held the position of Director and Chief Curator at the Boston University Art Gallery where she organized exhibitions with Leidy Churchman, Destroy All Monsters, and Vlatka Horvat, among others. McNamara is also co-founder of Cleopatra's, an alternative Brooklyn-based project space founded in 2008. In addition, McNamara has held teaching positions at Massachusetts College of Art and Design and the Art Institute of Boston at Lesley College. She received her M.A. at The Center for Curatorial Studies at Bard College and a B.A. with a Curatorial Concentration from Hampshire College, MA. McNamara has held curatorial positions at MoMA PS1, New York and Participant, INC., New York. McNamara is currently a Visiting Critic in the Painting Department at the Rhode Island School of Design, Providence, RI.

ist Direktorin der Galleries at Otis College of Art and Design in Los Angeles, wo sie zuletzt Einzelausstellungen von Polly Apfelbaum und Anna Craycroft organisiert hat. Davor war sie Direktorin und Chefkuratorin an der Boston University Art Gallery und kuratierte u. a. Ausstellungen zu Leidy Churchman, Destroy All Monsters und Vlatka Horvat. Kate McNamara ist außerdem Gründungsmitglied von Cleopatra's, einem 2008 gegründeten alternativen Project-Space in Brooklyn. Weiters war sie als Dozentin am Massachusetts College of Art and Design und am Art Institute of Boston des Lesley College tätig. Sie erhielt ihren M.A. vom Center for Curatorial Studies des Bard College und absolvierte ein Bachelor-Studium mit Fokus auf kuratorischer Tätigkeit am Hampshire College in Massachusetts. Als Kuratorin arbeitete sie für das MoMA PS1 in New York und für Participant, INC., ebenfalls in New York. Derzeit ist Kate McNamara als Gastkritikerin in der Abteilung für Malerei der Rhode Island School of Design in Providence tätig.

Bob Nickas

is a writer and curator based in New York. Nickas has organized over 100 exhibitions since 1984. He was Curatorial Advisor at MoMA P.S.1 in New York between 2004–07, where his exhibitions include *Lee Lozano: Drawn From Life; William Gedney—Christopher Wool: Into the Night; Stephen Shore: American Surfaces*; and *Wolfgang Tillmans: Freedom From the Known*, and projects with Walead Beshty, Trisha Donnelly, Amy O'Neill, and Torbjørn Rødland. He served on the teams for the *2003 Biennale de Lyon, Greater New York 2005* at MoMA PS1, contributed a section to *Aperto* at the 1993 Venice Biennale, and collaborated with Cady Noland on her installation for Documenta IX in 1992. He was founding editor of *Index* magazine (1996–2000). His books include

lebt als Autor und Kurator in New York. Seit 1984 hat er bislang mehr als einhundert Ausstellungen organisiert. Als kuratorischer Berater am MoMA PS1 in New York kuratierte er zwischen 2004 und 2007 u. a. die Ausstellungen *Lee Lozano: Drawn From Life, William Gedney – Christopher Wool: Into the Night, Stephen Shore: American Surfaces* und *Wolfgang Tillmans: Freedom From the Known* und realisierte Projekte mit Walead Beshty, Trisha Donnelly, Amy O'Neill und Torbjørn Rødland. Er war Teil des Teams der Biennale de Lyon 2003 und von *Greater New York 2005* am MoMA PS1, lieferte einen Beitrag zur Aperto der Biennale in Venedig 1993 und arbeitete gemeinsam mit Cady Noland an ihrer Installation für die documenta 9 im Jahr 1992. Zudem war Bob Nickas begründen-

Painting Abstraction: New Elements in Abstract Painting, Catalog of the Exhibition, and four collections of his writing and interviews: *Theft Is Vision, Live Free or Die, The Dept. of Corrections*, and *Komplaint Dept.* He is one of the authors of *Defining Contemporary Art: 25 Years In 200 Pivotal Artworks*, and of *No Problem: Cologne/New York 1984–1989*. Most recently he has contributed essays to *Vija Celmins* (Matthew Marks Gallery, New York), *Brand New: Art & Commodity in the 1980s* (Hirshhorn Museum, Washington, DC), and *Michel Parmentier* (Ortuzar Projects, New York). His current project, MAY 68, is a book and record shop in New York's Chinatown, where he presents monthly exhibitions. He is presently at work on a book about Ad Reinhardt's photography.

der Herausgeber des *Index Magazine* (1996–2000). Er hat zahlreiche Bücher verfasst, u.a. *Painting Abstraction: New Elements in Abstract Painting* und *Catalog of the Exhibition*, seine Textsammlungen und Interviews publizierte er in *Theft Is Vision, Live Free or Die, The Dept. of Corrections* und *Komplaint Dept.* Er schrieb für *Defining Contemporary Art: 25 Years in 200 Pivotal Artworks* und *No Problem: Cologne/New York 1984–1989*. Zuletzt verfasste er Beiträge für *Vija Celmins* (Matthew Marks Gallery, New York), *Brand New: Art & Commodity in the 1980s* (Hirshhorn Museum, Washington, DC) und *Michel Parmentier* (Ortuzar Projects, New York). Bob Nickas' aktuelles Projekt ist MAY 68, ein Buch- und Plattenladen im New Yorker Stadtteil Chinatown, in dem er monatlich wechselnde Ausstellungen zeigt. Außerdem arbeitet er derzeit an einem Buch über das fotografische Werk von Ad Reinhardt.

Stella Rollig

has been CEO and Artistic Director of the Belvedere since January 2017. She studied German and art history at the University of Vienna and later worked as an arts journalist (for ORF, *Der Standard*, and others). From 1994 to 1996, Rollig was the Austrian Federal Curator for the Fine Arts; during this time she also founded "Depot, Kunst und Diskussion" at MuseumsQuartier Wien. From 2004 to 2016, she was Artistic Director of the LENTOS art museum in Linz and from 2011 also Director of NORDICO Stadtmuseum Linz. In addition to her curatorial roles, Rollig has taught at numerous institutions.

ist seit Jänner 2017 Generaldirektorin und wissenschaftliche Geschäftsführerin des Belvedere. Sie studierte Germanistik und Kunstgeschichte an der Universität Wien und war als Kunstpublizistin tätig (u.a. ORF, *Der Standard*). Von 1994 bis 1996 war Stella Rollig österreichische Bundeskuratorin für bildende Kunst, in dieser Zeit gründete sie auch *Depot. Kunst und Diskussion* im MuseumsQuartier Wien. Von 2004 bis 2016 leitete die Ausstellungsmacherin das LENTOS Kunstmuseum Linz, ab 2011 zusätzlich das NORDICO Stadtmuseum Linz. Neben ihrer kuratorischen Tätigkeit lehrte Stella Rollig an zahlreichen Instituten.

IMPRESSUM

Dieser Katalog erscheint anlässlich der Ausstellung
Polly Apfelbaum. Happiness Runs
vom 7. September 2018 bis 13. Jänner 2019
im Belvedere 21, Wien.

Wissenschaftliche Geschäftsführerin /
Generaldirektorin: Stella Rollig
Wirtschaftlicher Geschäftsführer:
Wolfgang Bergmann

Kuratorin der Ausstellung: Stella Rollig
Kuratorische Assistenz: Johanna Hofer

Ausstellungsmanagement und
Sammlungsverwaltung: Stephan Pumberger
Ausstellungsproduktion: Mario Kojetinsky
Kunst und Programmentwicklung: Harald Krejci
Kunstvermittlung: Susanne Wögerbauer
Marketing: Markus Wiesenhofer
Besucher_innenservice: Margarete Stechl
Kommunikation und Digitales Belvedere:
Monika Voglgruber
Research Center: Christian Huemer
Restaurierung: Stefanie Jahn

Belvedere
Prinz Eugen-Straße 27
1030 Wien
www.belvedere.at

belvedere 21

PUBLIKATION

Herausgeberin: Stella Rollig

Autor_innen:
Polly Apfelbaum, Patricia Grzonka, Johanna Hofer,
Kate McNamara, Bob Nickas, Stella Rollig
Grafikdesign: Ivonne Stark
Publikationsmanagement: Eva Lahnsteiner
Lektorat: Katharina Sacken
Übersetzung (Deutsch – Englisch):
Laura Freeburn, Daniel O'Connell (pp. 76 & 104)
Übersetzung (Englisch – Deutsch):
Wilfried Prantner
Bildbearbeitung: Pixelstorm, Wien
Druck und Bindung: gugler GmbH, Melk

Papier: Napura/Khepera | KHE797,
Munken Lynx Rough 120g, Munken Kristall 120g
Schriften: Garalda, NewParis Skyline, Serlio

Erschienen im: VfmK Verlag für moderne Kunst
GmbH, Salmgasse 4a, A-1030 Wien
hello@vfmk.org —— www.vfmk.org

ISBN 978-3-903114-60-9 (Museumsausgabe)
ISBN 978-3-903269-00-2 (Buchhandelsausgabe)

Gedruckt in Österreich

Vertrieb
Europa: LKG, www.lkg-va.de
UK: Cornerhouse Publications,
www.cornerhousepublications.org
USA: D.A.P., www.artbook.com

FOTONACHWEIS

S. 18/Abb. 3, 98/99: Foto: Courtesy of Ben Maltz Gallery; S. 23/Abb. 5, 76, 79 (u.): Courtesy Everson Museum of Art, Syracuse; S. 24/Abb. 8, 116 (o.): Buchcover *The Potential of Woman*, 1963, Gestaltung: Rudolph de Harak; S. 30/Abb. 9: Courtesy D'Amelio Terras Gallery, New York; S. 33–64: Foto: Sandro Zanzinger; S. 80, 81 (u.): Courtesy Burlington City Arts, Burlington, VT; S. 84: Courtesy Be-Part, Waregem, BE; S. 88/89: Courtesy Art Unlimited, Basel, CH; S. 90 (u.): Plakatgestaltung Studio Jurgen Maelfeyt; S. 91: Fotos: Sarah Westphal; S. 94, 97, 100, 101 (o.): Fotos: Dan Cole; S. 104, 107, 108: Fotos: Stephen White, courtesy of Frith Street Gallery, London; S. 112, 115, 117 (o.), 118: Foto: Courtesy of Alexander Gray Associates; S. 125/Abb. 1: De Agostini Picture Library / Biblioteca Ambrosiana / Bridgeman Images; S. 126/Abb. 2: Foto: https://commons.wikimedia.org; S. 126/Abb. 3: Hamburger Kunsthalle, Hamburg, DE / Bridgeman Images; S. 128/Abb. 4: Mariage royal / Diltz / Bridgeman Images; S. 129/Abb. 5: Foto: Henry Groskinsky / The LIFE Picture Collection / Getty Images; S. 134/Abb. 7: Museum of Modern Art, New York; Gift of the artist: © 2018. Digital image, The Museum of Modern Art, New York/Scala, Florence; S. 134/Abb. 8: Skizze: Bob Nickas; S. 138/Abb. 1: Private Collection / Bridgeman Images; S. 145/Abb. 2: bpk / The Art Institute of Chicago / Art Resource, NY; S. 146/Abb. 3: Tate Modern, purchased with funds provided by the Tate Americas Foundation (Latin American Acquisitions Committee) 2014, © Tate, London 2018; S. 150/Abb. 4: Kunsthaus Zürich, 1981; S. 150/Abb. 5: aus: *Hildegard Absalon, Malen mit Fäden. Bildteppiche 1982–2000*, Bern-Berlin 2002, S. 63; Courtesy Claudius Jelinek; S. 151/Abb. 6: Courtesy Emilio Mazzoli, Modena, Foto: Rolando Paolo Guerzoni; S. 151/Abb. 7: Collection of Peter Blum, New York, Foto: Peter Blum; S. 151/Abb. 8: http://www.galerieneu.net/exhibition/73/1410; S. 153/Abb. 9: Foto: David Chalmers Alesworth; S. 154/Abb. 10: https://www.artnet.com/auctions/artists/theaster-gates/civil-rights-throw-rug-large; S. 154/Abb. 11: Courtesy Galerie Meyer Kainer, Foto: Marcel Koehler; S. 156/Abb. 12: Image Courtesy of the artist & Marc Selwyn Fine Art, Beverly Hills; S. 156/Abb. 13: Courtesy of Alexandra Kehayoglou Studio, Foto: Francisco Nocito.

Alle weiteren Abbildungen: © Polly Apfelbaum

Cover: Motiv aus Polly Apfelbaum,
The Potential of Women, 2017

Falls zu einzelnen Abbildungen trotz eingehender Recherche der korrekte Bildnachweis nicht erbracht werden konnte, ersuchen wir in diesen Fällen um Verständnis und bitten um Hinweis für künftige Nennungen.

Bibliografische Information der Deutschen Nationalbibliothek
Die Deutsche Nationalbibliothek verzeichnet diese Publikation in der Deutschen Nationalbibliografie;
detaillierte bibliografische Daten sind im Internet über http://dnb.de abrufbar.

COLOPHON

This catalogue is published on the occasion of the exhibition *Polly Apfelbaum. Happiness Runs* from September 7, 2018 to January 13, 2019 at the Belvedere 21, Vienna.

Artistic Director, CEO: Stella Rollig
CFO: Wolfgang Bergmann

Curator of the Exhibition: Stella Rollig
Curatorial Assistant: Johanna Hofer

Exhibition Management and Loans: Stephan Pumberger
Exhibition Production: Mario Kojetinsky
Exhibitions and Programs: Harald Krejci
Education: Susanne Wögerbauer
Marketing: Markus Wiesenhofer
Visitor Services: Margarete Stechl
Communications and Digital Belvedere: Monika Voglgruber
Research Center: Christian Huemer
Conservation Department: Stefanie Jahn

Belvedere
Prinz Eugen-Straße 27
1030 Vienna
www.belvedere.at

belvedere 21

PUBLICATION

Editor: Stella Rollig

Authors:
Polly Apfelbaum, Patricia Grzonka, Johanna Hofer, Kate McNamara, Bob Nickas, Stella Rollig
Graphic Design: Ivonne Stark
Publication Management: Eva Lahnsteiner
Translation (German—English): Laura Freeburn, Daniel O'Connell (pp. 76 & 104)
Translation (English—German): Wilfried Prantner
Copy Editing: Charlotte Eckler
Picture Editing: Pixelstorm, Vienna
Printed and bound by: gugler GmbH, Melk

Paper: Napura/Khepera | KHE797, Munken Lynx Rough 120g, Munken Kristall 120g
Fonts: Garalda, NewParis Skyline, Serlio

Published by: VfmK Verlag für moderne Kunst GmbH, Salmgasse 4a, A-1030 Vienna
hello@vfmk.org —— www.vfmk.org

ISBN 978-3-903114-60-9 (Museum's Edition)
ISBN 978-3-903269-00-2 (Retail Edition)

Printed in Austria

Distribution
Europe: LKG, www.lkg-va.de
UK: Cornerhouse Publications, www.cornerhousepublications.org
USA: D.A.P., www.artbook.com

PICTURE CREDITS

pp. 18/fig. 3, 98/99: Photo: Courtesy of Ben Maltz Gallery; pp. 23/fig. 5, 76, 79 (below): Courtesy Everson Museum of Art, Syracuse; pp. 24/fig. 8, 116 (top): Cover of the book *The Potential of Woman*, 1963, cover design Rudolph de Harak; p. 30/fig. 9: Courtesy D'Amelio Terras Gallery, New York; pp. 33–64: Photos: Sandro Zanzinger; pp. 80, 81 (below): Courtesy Burlington City Arts, Burlington, VT; p. 84: Courtesy Be-Part, Waregem, BE; pp. 88/89: Courtesy Art Unlimited, Basel, CH; p. 90 (below): Poster design Studio Jurgen Maelfeyt; p. 91: Photos: Sarah Westphal; pp. 94, 97, 100, 101 (top): Photos: Dan Cole; pp. 104, 107, 108: Photos: Stephen White, courtesy of Frith Street Gallery, London; pp. 112, 115, 117 (top), 118: Photos: Courtesy of Alexander Gray Associates; p. 125/fig. 1: De Agostini Picture Library / Biblioteca Ambrosiana / Bridgeman Images; p. 126/fig. 2: Photo: https://commons.wikimedia.org; p. 126/fig. 3: Hamburger Kunsthalle, Hamburg, DE / Bridgeman Images; p. 128/fig. 4: Mariage royal / Diltz / Bridgeman Images; p. 129/fig. 5: Photo: Henry Groskinsky / The LIFE Picture Collection / Getty Images; p. 134/fig. 7: Museum of Modern Art, New York; Gift of the artist: © 2018. Digital image, The Museum of Modern Art, New York/Scala, Florence; p. 134/fig. 8: Sketch: Bob Nickas; p. 138/fig. 1: Private Collection / Bridgeman Images; p. 145/fig. 2: bpk / The Art Institute of Chicago / Art Resource, NY; p. 146/fig. 3: Tate Modern, purchased with funds provided by the Tate Americas Foundation (Latin American Acquisitions Committee) 2014, © Tate, London 2018; p. 150/fig. 4: Kunsthaus Zürich, 1981; p. 150/fig. 5: from: *Hildegard Absalon, Malen mit Fäden. Bildteppiche 1982–2000*, Bern-Berlin 2002, p. 63; Courtesy Claudius Jelinek; p. 151/fig. 6: Courtesy Emilio Mazzoli, Modena, photo: Rolando Paolo Guerzoni; p. 151/fig. 7: Collection of Peter Blum, New York, photo: Peter Blum; p. 151/fig. 8: http://www.galerieneu.net/exhibition/73/1410; p. 153/fig. 9: Photo: David Chalmers Alesworth; p. 154/fig. 10: https://www.artnet.com/auctions/artists/theaster-gates/civil-rights-throw-rug-large; p. 154/fig. 11: Courtesy Galerie Meyer Kainer, photo: Marcel Koehler; p. 156/fig. 12: Image Courtesy of the artist & Marc Selwyn Fine Art, Beverly Hills; p. 156/fig. 13: Courtesy of Alexandra Kehayoglou Studio, photo: Francisco Nocito.

All further images: © Polly Apfelbaum

Cover: Motif from Polly Apfelbaum,
The Potential of Women, 2017

If in spite of our thorough research any individual illustrations have not been correctly attributed or acknowledged, we offer our apologies and would appreciate any information that will allow us to rectify the matter in future editions.

Bibliographic information published by Die Deutsche Nationalbibliothek
Die Deutsche Bibliothek lists this publication in the Deutsche Nationalbibliografie;
detailed bibliographic data is available in the Internet at http://dnb.de/.